O HOMEM INVISÍVEL

H.G. WELLS

O HOMEM INVISÍVEL

Tradução
Vânia Valente

Principis

Esta é uma publicação Principis, selo exclusivo da Ciranda Cultural Editora e Distribuidora Ltda.

Traduzido do original em inglês
The Invisible Man

Texto
H. G. Wells

Tradução
Vânia Valente

Preparação
Marcos Toledo

Revisão
Aiko Mine

Produção, projeto gráfico e diagramação
Ciranda Cultural

Imagens
Bodor Tivadar/Shutterstock.com;
Vladimir Zadvinskii/Shutterstock.com;
Elymas/Shutterstock.com;

Dados Internacionais de Catalogação na Publicação (CIP) de acordo com ISBD

W453h Wells, H. G.

O homem invisível / H. G. Wells ; traduzido por Vânia Valente. - Jandira, SP : Principis, 2020.
176 p. ; 16cm x 23cm. – (Clássicos da Literatura Mundial)

Inclui índice.
ISBN: 978-65-509-7003-1

1. Literatura inglesa. 2. Romance. I. Valente, Vânia. II. Título. III. Série.

CDD 823
2020-145 CDU 821.111-31

Elaborado por Vagner Rodolfo da Silva - CRB-8/9410

Índice para catálogo sistemático:
1. Literatura inglesa : Romance 823
2. Literatura inglesa : Romance 821.111-31

1ª edição em 2020
www.cirandacultural.com.br

SUMÁRIO

A CHEGADA DO ESTRANHO

O estranho chegou no início de fevereiro, em um dia de inverno, em meio a um vento cortante e à nevasca, a última tempestade de neve do ano. Veio pela colina, andando desde a estação de trem Bramblehurst e carregando uma pequena valise preta em suas mãos, que vestiam luvas grossas. Ele estava agasalhado da cabeça aos pés, e a aba do seu chapéu de feltro macio escondia cada centímetro de seu rosto, exceto a ponta brilhante do seu nariz; a neve se amontoou em seus ombros e em seu peito e formou uma crista branca ao peso que carregava. Cambaleou para dentro do "Coach and Horses", mais morto do que vivo, e atirou sua valise ao chão.

– Fogo! – gritou – Em nome da caridade humana! Um quarto e um fogo!

No bar, bateu os pés e sacudiu a neve que estava sobre ele e seguiu a sra. Hall até a sala de visitas para acertar seu acordo. E com essa introdução e um par de soberanos[1] em cima da mesa, ele se alojou na hospedaria.

A sra. Hall acendeu a lareira e o deixou lá enquanto lhe preparava uma refeição. Um hóspede parar em Iping no inverno era uma

1 Moeda de ouro britânica em uso na Grã-Bretanha de 1817 a 1914 e que valia 1 libra. (N.T.)

sorte inédita, ainda mais um que não era "pechincheiro", e ela estava decidida a mostrar-se digna de sua boa sorte. Assim que o bacon estava no ponto, e após repreender Millie, sua apática empregada, com algumas expressões de desprezo habilmente escolhidas, ela levou a toalha de mesa, os pratos e copos à sala de visitas e começou a organizá-los com o maior *éclat*[2]. Embora o fogo queimasse vigorosamente, ficou surpresa ao ver que seu visitante, parado de costas para ela e fitando pela janela a neve caindo no quintal, ainda vestia o chapéu e o casaco. Suas mãos enluvadas estavam cruzadas atrás dele e ele parecia perdido em pensamentos. Ela percebeu que a neve derretida, que ainda salpicava de seus ombros, pingava no tapete dela.

– Posso pegar seu chapéu e seu casaco, senhor – ela falou –, e dar uma boa secada neles na cozinha?

– Não – ele disse sem se virar.

Ela não teve certeza de tê-lo ouvido e estava prestes a repetir sua pergunta.

Ele virou a cabeça e olhou para ela sobre os ombros.

– Eu prefiro continuar com eles – respondeu enfaticamente, e ela notou que ele usava grandes óculos azuis com proteções laterais e tinha suíças sobre o colarinho que cobriam completamente suas bochechas e seu rosto.

– Muito bem, senhor – ela disse. – *Como* desejar. Em um segundo a sala estará mais quente.

Ele não respondeu e virou seu rosto para longe dela novamente, e a sra. Hall, sentindo que seus avanços na conversa eram inoportunos, arrumou as coisas na mesa em um movimento rápido e certeiro e avançou para fora da sala. Quando retornou, ele ainda estava parado lá, como um homem de pedra, suas costas curvadas, o colarinho levantado, a aba de seu chapéu gotejante abaixada, escondendo completamente seu rosto e suas orelhas. Ela pôs os ovos e o bacon com considerável veemência e chamou em voz alta, no lugar de lhe falar naturalmente:

2 *Éclat*: brilho, em francês. (N.T.)

– Seu almoço está servido, senhor.

– Obrigado – ele disse ao mesmo tempo, e não se mexeu até que ela fechasse a porta. Então, virou-se e foi até a mesa com certa avidez.

Assim que ela foi por trás do bar para a cozinha, ouviu um som repetido em intervalos regulares. *Chirk*, *chirk*, *chirk*, era o som de uma colher batendo rapidamente na tigela.

– Essa garota! – disse. – Pronto! Eu esqueci completamente! Está indo tão devagar! – E enquanto ela mesma terminava de mexer a mostarda, deu a Millie um leve sermão por sua excessiva lerdeza. Cozinhou o presunto e os ovos, pôs a mesa e fez tudo, enquanto Millie (que grande ajuda!) tinha apenas conseguido atrasar a mostarda. E ele, um novo hóspede, querendo ficar! Ela então encheu o pote de mostarda e, colocando-o com certa cerimônia em uma bandeja de chá dourada e preta, levou-a para a sala de visitas.

Ela bateu e entrou prontamente. Nesse momento, seu visitante moveu-se rapidamente, de modo que ela percebeu, em um vislumbre, um objeto branco desaparecendo atrás da mesa. Parecia que ele estava pegando algo do chão. Ela pôs a mostarda na mesa com força e então notou que o sobretudo e o chapéu haviam sido tirados e colocados na cadeira em frente à lareira, e um par de botas molhadas ameaçava enferrujar o guarda-fogo de aço dela. De maneira decisiva, dirigiu-se a eles.

– Eu suponho que eu possa levá-los para secar agora – falou em uma voz que não permitia recusa.

– Deixe o chapéu – disse o visitante com uma voz abafada, e ela, ao se virar, viu que ele havia levantado a cabeça e estava sentado olhando para ela.

Por um momento, ela ficou olhando para ele boquiaberta, surpresa demais para falar.

Ele segurou um pano branco, um guardanapo que havia trazido, sobre a parte de baixo de seu rosto, de modo que sua boca e seu queixo ficassem completamente escondidos, e esta era a razão de sua voz abafada. Mas não foi isso o que assustou a sra. Hall. Foi o fato de que toda a sua testa, acima de seus óculos azuis, estava coberta com uma bandagem branca, e outra cobria suas orelhas, não deixando nenhum fragmento de seu rosto exposto, exceto seu rosado e pontiagudo nariz. Era brilhante, de um rosa vivo, como parecera desde o começo. Ele usava um paletó de veludo marrom-escuro com uma gola de linho alta e preta ao redor de seu pescoço. Os cabelos grossos e pretos, escapando como podiam debaixo e entre as bandagens cruzadas, projetavam curiosas caudas e chifres, dando a ele a aparência mais estranha que ela já tinha visto. Essa cabeça abafada e enfaixada era tão diferente do que havia esperado que, por um instante, enrijeceu.

Ele não removeu o guardanapo, continuou segurando-o, como ela via agora, com uma luva marrom, e observando-a com seus inescrutáveis óculos azuis.

– Deixe o chapéu – ele disse, falando muito claramente através do pano branco.

Os nervos dela começaram a se recuperar do choque recebido. Colocou o chapéu novamente na cadeira em frente à lareira.

– Eu não sabia, senhor – ela começou –, que... – e parou, constrangida.

– Obrigado – ele falou secamente, olhando dela para a porta e, então, para ela novamente.

– Vou secá-los muito bem, senhor, imediatamente – ela falou e carregou as roupas dele para fora da sala. Relanceou o olhar novamente para sua cabeça enfaixada de branco e para os óculos azuis enquanto ia para a porta; mas o guardanapo ainda estava na frente do rosto dele. Ela arrepiou-se um pouco e fechou a porta atrás de si, sua face estava repleta de surpresa e perplexidade.

– Eu *nunca*... – ela suspirou. – Calma! – E foi devagar para a cozinha e, quando chegou lá, estava preocupada demais para perguntar a Millie o que ela estava mexendo *agora*.

O visitante sentou-se e ouviu os pés dela em retirada. Olhou inquisitivamente pela janela antes de remover seu guardanapo e retomar sua refeição. Deu uma garfada, olhou desconfiado pela janela, deu outra garfada, e então se levantou, levando o guardanapo em sua mão, andou pela sala e abaixou a cortina de musselina branca que obscurecia os vidros inferiores. Isso deixou a sala em uma penumbra. Feito isso, voltou aliviado para a mesa e sua refeição.

– A pobre alma teve um acidente ou uma cirurgia ou algo assim – disse a sra. Hall. – Com certeza! Que susto suas bandagens me deram.

Ela colocou um pouco mais de carvão no fogo, desdobrou o varal, e estendeu o casaco do viajante em cima dele.

– E seus óculos! Parecia mais um capacete de mergulho do que um homem! – pendurou o cachecol dele no canto do varal. – E segurando o guardanapo sobre sua boca o tempo todo. Falando através dele!... Talvez sua boca esteja machucada também, talvez.

Ela se virou, como quem de repente se lembra.

– Abençoe minha alma! – disse, esquivando-se do assunto. – Você *ainda* não fez as batatas, Millie?

Quando a sra. Hall foi limpar o almoço do estranho, sua ideia de que a boca dele também tinha sido cortada ou desfigurada, no acidente que ela supunha ele ter sofrido, foi confirmada, pois ele estava fumando um cachimbo e todo o tempo que ela esteve na sala ele nunca afrouxava o cachecol de seda que tinha enrolado em volta da parte inferior de seu rosto para pôr a piteira nos lábios. Mas não era um esquecimento, pois viu que ele relanceava o olhar para ela enquanto fumegava. Ele se sentou no canto com as costas para a cortina da janela e agora falava, após ter comido e bebido e estar confortavelmente aquecido, com uma brevidade menos agressiva que anteriormente. O reflexo do fogo emprestava um tipo de animação vermelha a seus grandes óculos, inexistente até então.

– Eu tenho algumas bagagens – ele falou – na estação Bramblehurst – e perguntou como poderiam mandá-las para ele. Inclinou um tanto educadamente a cabeça enfaixada em agradecimento à explicação dela. – Amanhã? – ele falou. – Não há nenhuma entrega mais rápida? – e pareceu um tanto desapontado quando ela respondeu.

– Não. – Ela estava certa? Nenhum homem com uma artimanha conseguiria?

A sra. Hall, nada relutante, respondeu suas perguntas e desenvolveu uma conversa.

– É uma estrada com descida íngreme, senhor – ela falou em resposta à pergunta sobre uma artimanha; e então, pegando uma brecha, disse – foi lá que uma charrete virou, um ano atrás ou mais. Um cavalheiro morto, além do cocheiro. Acidentes, senhor, acontecem em um momento, não é?

Mas o visitante não se deixou abater facilmente.

– É, acontecem – ele falou pelo cachecol, olhando-a calmamente através das lentes impenetráveis.

– Mas eles levam o tempo suficiente para melhorar, não levam?... Há o filho da minha irmã, Tom, que brincando cortou o braço com uma foice, caiu sobre o campo de feno e, Deus me abençoe!, ficou três meses imobilizado, senhor. Você mal acreditaria. Isso me deu um pavor de foice, senhor.

– Compreendo perfeitamente – o visitante falou.

– Ele estava com medo; em certo momento, ter de fazer uma cirurgia, estava mal, senhor.

O visitante riu abruptamente, um latido de riso que parecia morder e matar com sua boca.

– Ele *estava*? – falou.

– Estava, senhor. E isso não é para rir, para os que cuidaram dele, como eu, com minha irmã ficando com seus pequenos por muito tempo. Havia curativos para fazer e desfazer, senhor. Por isso, se me permite ser tão ousada para dizer isso, senhor...

– Você me arranja alguns fósforos? – perguntou o visitante, muito abruptamente. – Meu cachimbo apagou.

A sra. Hall foi interrompida de repente. Atitude certamente rude da parte dele, depois de contar-lhe tudo o que ela tinha feito. Ela arfou para ele por um instante e se lembrou dos dois soberanos. E foi buscar os fósforos.

– Obrigado – ele disse concisamente, assim que ela os largou, e virou seus ombros contra ela e olhou fixamente pela janela mais uma vez. Tudo estava totalmente desanimador. Evidentemente, ele era sensível ao tema cirurgias e curativos. Contudo, ela não "se atreveu a falar", depois de tudo. Mas seu jeito desdenhoso a irritou, e Millie passou um mau bocado naquela tarde.

O visitante permaneceu na sala de visitas até as quatro horas, sem se desculpar por sua intrusão. Na maior parte do tempo, ele ficou parado; parecia que se sentava em uma crescente escuridão fumando à luz da lareira, talvez cochilando.

Uma ou duas vezes um ouvinte curioso poderia tê-lo escutado perto das brasas, e no espaço de cinco minutos ele era audível andando pela sala. Parecia estar falando sozinho. Então, a poltrona rangia quando ele se sentava novamente.

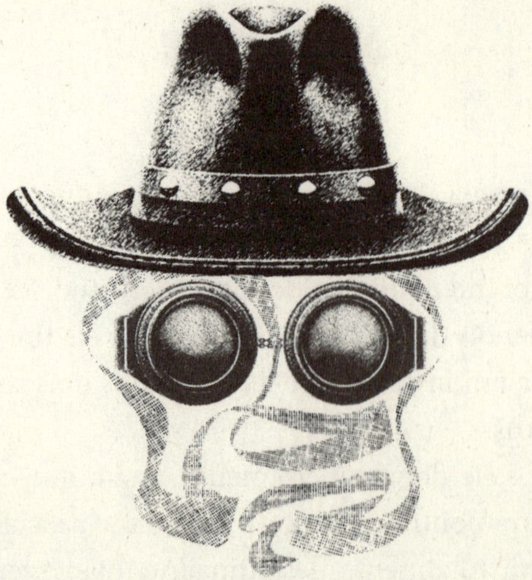

AS PRIMEIRAS IMPRESSÕES DO SR. TEDDY HENFREY

Às quatro horas, quando já estava bem escuro e a sra. Hall estava criando coragem para perguntar a seu visitante se ele queria tomar um pouco de chá, Teddy Henfrey, funcionário do relógio, entrou no bar.

– Por Deus! Sra. Hall – ele falou –, mas está um tempo horrível para botas leves! – A neve lá fora estava caindo mais rápido.

A sra. Hall concordou e notou que trazia sua mala com ele.

– Agora que está aqui, sr. Teddy – ela falou –, ficaria agradecida se você desse uma olhada no velho relógio da sala de visitas. Está indo, bate bem e forte, mas o ponteiro das horas não marca nada além de seis.

E indicando o caminho, foi até a porta da sala de visitas, bateu e entrou.

Seu visitante, ela viu assim que abriu a porta, estava sentado na poltrona diante da lareira, cochilando, ao que parecia, com sua cabeça enfaixada pendendo de um lado. A única luz na sala era o brilho vermelho do fogo, que iluminava seus olhos como sinais ferroviários luminosos, mas deixava sua face abatida no escuro, e os vestígios escassos do dia vieram através da porta aberta. Tudo estava avermelhado, sombrio e indistinto para ela, ainda mais depois que acabara de acender o lampião do bar e seus olhos se ofuscaram. Mas, por um segundo, parecia que aquele homem para quem olhava tinha uma boca enorme amplamente aberta; uma imensa e inacreditável boca que engolia toda a porção inferior de seu rosto. Era a sensação do momento: a cabeça branca, os óculos monstruosos, e esse imenso bocejo embaixo dele. Então, ele se moveu, começou a se levantar da cadeirae ergueu as mãos. Ela abriu totalmente a porta, para que a sala ficasse mais iluminada, e o viu de forma nítida, com o cachecol erguido sobre seu rosto, como ela o tinha visto com o guardanapo antes. As sombras, imaginou, a haviam enganado.

– Se importaria deste homem entrar para ver o relógio, senhor? – ela disse, recuperando-se do choque momentâneo.

– Ver o relógio? – ele falou, olhando em volta sonolento e falando por cima das mãos; então, mais acordado, disse – Claro que não.

A sra. Hall foi buscar um lampião e ele levantou-se e espreguiçou-se. Então, o lampião chegou e o sr. Teddy Henfrey, ao entrar, deparou com aquele indivíduo enfaixado. Ele foi, ele diz, "surpreendido".

– Boa tarde – disse o estranho, olhando-o "como uma lagosta", como o sr. Henfrey diz, claramente impressionado com os óculos escuros.

– Espero não incomodar – respondeu o sr. Henfrey.

– De modo algum – disse o estranho. – No entanto, entendo – falou, virando-se para a sra. Hall – que esta sala seja realmente minha, para meu uso privado.

– Pensei que, senhor – disse a sra. Hall –, preferiria o relógio...

– Certamente – disse o estranho –, certamente, mas, como regra, eu quero ficar sozinho e não ser perturbado.

– Mas estou realmente feliz de ter o relógio para olhar – ele falou, vendo uma certa hesitação nas maneiras do sr. Henfrey. – Muito bem. – O sr. Henfrey tencionara se desculpar e se retirar, mas esse entusiasmo o tranquilizou. O estranho virou-se, com as costas para a lareira, e pôs as mãos para trás.

– E mais tarde – ele falou –, quando o conserto do relógio terminar, eu acho que gostaria de tomar um pouco de chá. Mas não antes de terminado o conserto do relógio.

A sra. Hall estava prestes a sair da sala, sem fazer nenhum avanço conversacional, porque não queria ser menosprezada na frente do sr. Henfrey, quando seu visitante perguntou se ela havia tomado alguma providência quanto a sua bagagem na Bramblehurst. Ela disse ter mencionado a questão ao carteiro e que um carregador poderia trazê-las no dia seguinte.

– Você tem certeza de que é o mais cedo possível? – ele perguntou.

Ela disse que tinha certeza, com uma forte frieza.

– Eu deveria explicar – ele acrescentou –, estava realmente com muito frio e cansado para falar disso antes: sou um pesquisador experimental.

– É mesmo, senhor? – disse a sra. Hall, muito impressionada.

– E minha bagagem contém aparelhos e equipamentos.

– São coisas de fato muito úteis, senhor – a sra. Hall falou.

– E, naturalmente, estou muito ansioso para progredir com meus inquéritos.

– É claro, senhor.

– Minha razão de vir a Iping – ele continuou, de modo um pouco enfático – foi... por um desejo de isolamento. Eu não queria ser importunado em meu trabalho. Além do meu trabalho, um acidente...

– Foi o que pensei – a sra. Hall falou para si mesma.

– ... necessita de certo afastamento. Meus olhos... às vezes ficam tão fracos e doloridos que tenho de me fechar na escuridão por longas horas. Trancar-me. Algumas vezes, de vez em quando. Não agora, certamente. Em determinados momentos, o menor distúrbio, a entrada de um estranho na sala, é uma fonte angustiante de aborrecimento para mim – é bom que essas coisas sejam entendidas.

– Com certeza, senhor – disse a sra. Hall. – E se ouso perguntar...

– Isso é tudo, eu acho – o estranho falou, com aquele jeito conclusivo, tranquilo e irresistível que ele podia assumir quando queria. A sra. Hall guardou sua pergunta e simpatia para uma ocasião melhor.

Depois que a sra. Hall saiu da sala, ele permaneceu de pé em frente à lareira, com olhar fixo; então, o sr. Henfrey se pôs a consertar o relógio. Ele não só tirou os ponteiros da peça e o mostrador, como também sua engrenagem; e tentou trabalhar da forma mais lenta, silenciosa e humilde possível. Trabalhou com o lampião perto dele, e o quebra-luz verde lançava uma luz brilhante sobre suas mãos e sobre a engrenagem e deixava o resto do cômodo escurecido. Quando ele olhou para cima, manchas coloridas flutuaram em seus olhos. Sendo essencialmente de natureza curiosa, ele havia removido as engrenagens (um procedimento bastante desnecessário) com a ideia de atrasar sua partida e talvez engatar uma conversa com o estranho. Mas o estranho ficou parado ali, quieto e em perfeito. Tão quieto que enfureceu Henfrey. Ele se sentiu sozinho na sala e olhou para cima, e lá, cinza e escuro, estavam a cabeça enfaixada e as enormes lentes azuis olhando fixamente, com uma névoa de pontos verdes vagueando na frente deles. Era tão estranho para Henfrey que por um minuto eles permaneceram se encarando sem entender. Então, olhou para baixo novamente. Uma situação muito desconfortável! Seria bom dizer algo. Ele deveria observar que a temperatura estava muito fria para esta época do ano?

Olhou para cima como se alvejasse aquele tiro introdutório.

– O tempo... – ele começou.

– Por que você não termina e vai? – disse a figura rígida, em um evidente estado doloroso de raiva reprimida. – Tudo o que você tem de fazer é fixar o ponteiro das horas em seu eixo. Você está simplesmente enrolando...

– Certamente, senhor, mais um minuto. Eu me distraí – e o sr. Henfrey terminou e se foi.

Contudo, partiu sentindo-se extremamente aborrecido.

– Diacho! – disse a si mesmo o sr. Henfrey, arrastando-se pela aldeia no meio da neve que derretia –; às vezes um homem precisa consertar um relógio, certamente.

E completou:

– Um homem não pode olhar para você? Coisa feia! – E acrescentou novamente – Aparentemente não. Se a polícia o estivesse procurando, você não mais poderia estar enrolado e enfaixado.

Na esquina da Gleeson, ele viu Hall, que recentemente havia se casado com a anfitriã do estranho do "Coach and Horses" e que agora dirigia o transporte de Iping até Sidderbridge Junction quando as pessoas ocasionalmente solicitavam, vindo em sua direção ao retornar de lá. Hall evidentemente tinha "parado um pouco" em Sidderbridge, a julgar pela sua direção.

– Como vai, Teddy? – ele disse, ao passar.

– Você tem um ser altamente esquisito em casa. – Teddy falou.

Hall parou muito sociavelmente.

– O que quer dizer? – ele perguntou.

– Um cliente de aparência esquisita hospedado no "Coach and Horses". – disse Teddy. – Pelo amor de Deus!

E ele passou a dar a Hall uma clara descrição de seu grotesco hóspede.

– Parece um pouco como um disfarce, não é? Eu ia querer ver o rosto de um homem se eu o tivesse hospedado em minha casa. – Henfrey falou. – Mas as mulheres são tão confiantes, no que diz respeito a estranhos. Ele ficou em seus cômodos e nem mesmo deu um nome, Hall.

– Não diga! – disse Hall, que era um homem um tanto lerdo.

– Sim – Teddy falou –, pela semana. Seja ele como for, você não pode se livrar do sujeito em menos de uma semana. E ele tem um monte de bagagem chegando amanhã, assim disse. Vamos torcer para que não sejam pedras nas caixas, Hall.

Ele contou a Hall como sua tia em Hastings havia sido enganada por um estranho com valises vazias. Por fim, deixou Hall vagamente desconfiado.

– Levante-se, velha garota. – disse Hall à égua. – Suponho que devo checar isso.

Teddy seguiu seu caminho com a consciência consideravelmente aliviada.

No entanto, em vez de "checar isso" ao voltar, Hall foi severamente questionado por sua esposa sobre a demora em Sidderbridge, e as perguntas moderadas dele foram respondidas de forma impertinente e, de certa maneira, não diretamente. Mas a semente de suspeita que Teddy semeara germinou na mente do sr. Hall, apesar desses desalentos.

– Você não sabe de tudo. – disse Hall, decidido a averiguar mais sobre a personalidade de seu hóspede na primeira oportunidade possível. E depois que o estranho foi para a cama, por volta das nove e meia, o sr. Hall foi diretamente à sala de visitas e olhou com bastante atenção os móveis de sua esposa, apenas para mostrar que o estranho não era o dono ali, e examinou de forma minuciosa e com certo desdém uma folha de cálculos matemáticos que o estranho havia deixado. Ao recolher-se para dormir, orientou a sra. Hall a olhar atentamente a bagagem do estranho quando chegasse no dia seguinte.

– Cuide da sua vida, Hall – disse a sra. Hall –, que eu cuidarei da minha.

Ela estava ainda mais inclinada a brigar com Hall porque o desconhecido sem dúvida era um tipo excepcionalmente estranho de desconhecido, e ela não estava absolutamente segura sobre o que pensava sobre ele. No meio da noite, acordou sonhando com enormes cabeças brancas como nabos, que vinham se arrastando atrás dela, no final de pescoços intermináveis, e com enormes olhos negros. Porém, sendo uma mulher sensata, subjugou seus terrores, virou-se e voltou a dormir.

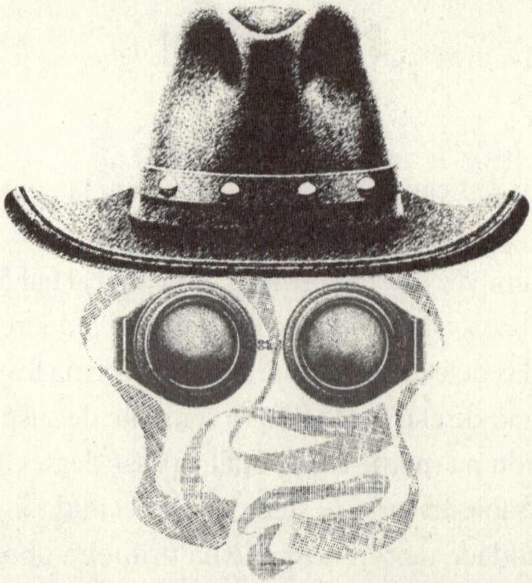

AS MIL E UMA GARRAFAS

Então, foi assim que no vigésimo nono dia de fevereiro, no início do degelo, essa pessoa singular veio do nada para a vila de Iping. No dia seguinte, sua bagagem chegou através da neve meio derretida, e era uma bagagem muito notável. De fato, havia um par de baús, como um homem racional poderia precisar; mas, além disso, havia uma caixa de livros: livros grandes e grossos, dos quais alguns traziam uma escrita incompreensível, e uma dúzia ou mais de caixotes, caixas e estojos, contendo objetos embalados em palha, os quais pareciam para Hall, que puxava com uma curiosidade casual a palha, garrafas de vidro. O estranho, agasalhado com chapéu, casaco, luvas e lenço, veio impacientemente encontrar a carroça de Fearenside, enquanto Hall trocava uma palavra ou mais de instruções para ajudar a trazer tudo para dentro. Ele saiu sem notar o cachorro de Fearenside, que farejava com espírito diletante as pernas de Hall.

– Anda logo com essas caixas – disse ele. – Eu já esperei demais.

E ele desceu os degraus em direção à traseira da carroça, como se quisesse pôr as mãos no caixote menor.

No entanto, assim que o cão de Fearenside o avistou, se eriçou e rosnou selvagemente, e assim que o estranho se precipitou degraus abaixo, o cão deu um salto hesitante, pulando direto na mão dele.

– Opa! – gritou Hall, pulando para trás, pois ele não era um herói contra cachorros, e Fearenside berrou:

– Deita! – e apanhou seu chicote.

Eles viram que os dentes do cachorro haviam escorregado na mão, ouviram um chute, viram o cão pular de lado, agarrando a perna do estranho, e ouviram a calça dele rasgando. Então a ponta do chicote de Fearenside o açoitou, e o cão, ganindo de consternação, recuou sob as rodas da carroça. Foi tudo questão de meio minuto. Ninguém falou, todos gritaram. O estranho relanceou o olhar rapidamente para sua luva rasgada e sua perna, fingindo se debruçar sobre ela, depois se virou e se apressou a subir os degraus e entrar na hospedaria. Eles o ouviram atravessar precipitadamente o corredor e subir as escadas sem carpete até o quarto.

– Seu bruto! – disse Fearenside, descendo da carroça com o chicote em sua mão, enquanto o cachorro o observava através da roda.

– Venha aqui – ordenou Fearenside. – É melhor você vir.

Hall parou, boquiaberto.

– Ele foi mordido – disse Hall. – É melhor eu ir e ver o que vai dar – e trotou atrás do estranho. Ele encontrou a sra. Hall no corredor.

– O cão do carroceiro – disse – acabou de mordê-lo.

Foi direto para o andar de cima e, como a porta do estranho estava entreaberta, entrou sem nenhuma cerimônia, sendo naturalmente solidário.

A persiana estava abaixada, e o quarto estava escuro. Teve um vislumbre de uma coisa muito singular, o que parecia um braço sem mão acenando em sua direção, e um rosto de três enormes manchas brancas indefinidas, muito parecido com a superfície da flor amor-perfeito desbotada. Então, foi atingido violentamente no peito, atirado para trás e a porta bateu em seu rosto e trancou. Foi tão rápido que não teve tempo de observar. Um aceno de formas indecifráveis, um golpe e uma concussão. Lá estava ele no patamar escuro, imaginando o que poderia ter visto.

Alguns minutos depois, voltou ao pequeno grupo que tinha se formado fora do "Coach and Horses". Lá estavam Fearenside contando tudo novamente, pela segunda vez; a sra. Hall dizendo que o cachorro dele não tinha nada que morder os hóspedes dela; Huxter, o comerciante do outro lado da estrada, interrogativo; e Sandy Wadgers, da forja, crítica; além de mulheres e crianças, todas dizendo tolices:

– Não deixaria *me* morder, eu sei.

– Não era certo *ter* esses cachorros.

– Para que mordem, então? – e assim por diante.

O sr. Hall, olhando para eles dos degraus e ouvindo, achou inacreditável que tivesse visto algo tão notável acontecer lá em cima. Além disso, seu vocabulário era totalmente limitado para expressar suas impressões.

– Não quer ajuda, ele disse – falou em resposta à pergunta de sua esposa. – É melhor levarmos a bagagem dele para dentro.

– Ele deveria ao menos cauterizar a ferida – disse o sr. Huxter –, especialmente se estiver inflamada.

– Eu atiraria no cachorro, é o que eu faria – disse uma dama do grupo.

De repente, o cachorro começou a rosnar novamente.

– Venham logo – gritou uma voz furiosa no vão da porta, e lá estava o estranho agasalhado com sua gola levantada e a aba do chapéu abaixada.

– Quanto mais cedo vocês conseguirem trazer essas coisas para dentro, mais satisfeito ficarei.

Foi dito por um espectador anônimo que suas calças e luvas foram trocadas.

– Você se machucou, senhor? – perguntou Fearenside. – Sinto muito pelo cachorro...

– Nem um pouco – disse o estranho. – Nem arranhou a pele. Apresse-se com essas coisas.

Ele então xingou para si mesmo, afirmou o sr. Hall.

Assim que o primeiro caixote foi levado para a sala de visitas, de acordo com suas instruções, o estranho lançou-se sobre ele com uma avidez extraordinária e começou a desempacotá-lo, espalhando a palha com total desconsideração pelo tapete da sra. Hall. Depois disso, começou a pegar garrafas: garrafinhas gordas contendo pós, garrafas pequenas e finas contendo líquidos coloridos e brancos, garrafas azuis caneladas rotuladas como "Veneno", garrafas arredondadas e com pescoços finos, garrafas grandes de vidro verde, garrafas grandes de vidro branco, garrafas com rolhas de vidro e rótulos foscos, garrafas com rolhas de cortiça finas, garrafas com tampão, garrafas com tampas de madeira, garrafas de vinho, garrafas de óleo de salada, colocando-as em fileiras na cômoda, na lareira, na mesa sob a janela, ao redor do chão, na estante e em todos os lugares. A farmácia de Bramblehurst não podia se gabar de metade disso. Foi uma grande visão. Caixotes após caixotes rendiam garrafas, até que todos os seis estivessem vazios e a mesa com uma pilha alta de palha; as únicas coisas que saíam desses caixotes, além das garrafas, eram vários tubos de ensaio e uma balança cuidadosamente embalada.

Logo que os caixotes foram esvaziados, o estranho foi até a janela e começou a trabalhar, sem se preocupar com o lixo de palha, o fogo que se apagara, a caixa de livros lá fora, nem os baús e outras malas que tinham ido para o andar de cima.

Quando a sra. Hall levou-lhe o jantar, ele já estava tão absorto em seu trabalho, derramando pequenas gotas das garrafas dentro de tubos de ensaio, que não percebeu ela ter varrido a maior parte da palha e colocado a bandeja na mesa, talvez com alguma pouca ênfase, vendo o estado em que o chão estava. Então, ele virou a cabeça, tornando a virá-la imediatamente. Mas viu que ele havia tirado os óculos; estes estavam ao lado dele, sobre a mesa, e parecia que suas órbitas eram extraordinariamente ocas. Ele colocou os óculos novamente, virou-se e a encarou. A sra. Hall estava prestes a reclamar da palha no chão quando ele se antecipou a ela.

– Eu gostaria que você não entrasse sem bater – disse no tom de exasperação anormal que lhe parecia tão característico.

– Eu bati, mas aparentemente...

– Talvez você tenha batido. Mas em minhas investigações, minhas verdadeiramente muito urgentes e necessárias investigações, a menor perturbação, o ranger de uma porta. Devo lhe perguntar...

– Certamente, senhor. Pode virar a fechadura se você desejar, sabe. A qualquer momento.

– Uma ideia muito boa – disse o estranho.

– Esta palha, senhor, se me der a ousadia de observar...

– Não. Se a palha causar problema, coloque-a na conta. – E ele resmungou para ela palavras que aparentemente seriam xingamentos.

Ele estava tão estranho, parado ali, tão agressivo e explosivo, com uma garrafa em uma mão e um tubo de ensaio na outra, que a sra. Hall ficou bastante alarmada. Mas ela era uma mulher resoluta.

– Nesse caso, eu gostaria de saber, senhor, o que você considera...

– Um xelim, acrescente um xelim. Certamente, um xelim é suficiente?

– Que assim seja. – A sra. Hall falou, pegando a toalha de mesa e começando a desdobrá-la sobre a mesa. – Se você está satisfeito, é claro...

Ele se virou e sentou-se, com o colarinho do casaco na direção dela.

Durante toda a tarde, ele trabalhou com a porta trancada e, como a sra. Hall comprovou, na maior parte do tempo em silêncio. Contudo, mais uma vez houve um abalo e um som de garrafas tilintando, como se a mesa tivesse sido atingida, e o ruído de uma garrafa atirada violentamente para baixo, e então passos rápidos pela sala. Temendo que "algo estivesse errado", ela foi até a porta e ouviu, sem se importar em bater.

– Eu não posso continuar – ele estava encolerizado. – Eu *não posso* continuar. Trezentos mil, quatrocentos mil! A enorme multidão! Traidores! Pode levar a minha vida inteira! ... Paciência! Paciência, de fato! ... Tolo! Tolo!

Houve um barulho de cascos sobre os tijolos do bar, e a sra. Hall teve muita relutância em deixar de ouvir o resto do solilóquio. Quando voltou, a sala estava em silêncio novamente, exceto pela leve crepitação da cadeira dele e pelo tinido ocasional de uma garrafa. Tudo estava terminado; o estranho retomara o trabalho.

Quando levou o chá para ele, viu vidro quebrado no canto da sala, sob o espelho côncavo, e uma mancha dourada que havia sido cuidadosamente limpa. Ela chamou atenção para isso.

– Coloque na conta – retrucou asperamente, o visitante. – Pelo amor de Deus, não me perturbe. Se houver algum dano, coloque-o na conta –; e ele continuou ticando uma lista no caderno diante dele.

– Vou lhe dizer uma coisa – disse Fearenside, misteriosamente. Era fim de tarde e eles estavam na pequena loja de cerveja de Iping Hanger.

– Então? – disse Teddy Henfrey.

– Esse sujeito de quem você está falando, o que meu cachorro mordeu. Bem... ele é negro. Pelo menos, suas pernas são. Eu vi pelo rasgão de suas calças e de sua luva. Você esperava um tipo de rosa, né? Bem... não havia nenhum. Apenas negrume. Eu lhe digo, ele é tão preto quanto meu chapéu.

– Por Deus! – disse Henfrey. – É um caso completamente esquisito. Pois, o nariz dele é tão rosa quanto tinta!

– Isso é verdade – disse Fearenside. – Eu sei disso. E lhe digo o que estou pensando. Esse homem é malhado, Teddy. Preto aqui e branco ali... em manchas. E tem vergonha disso. É um tipo de mestiço, e a cor sai manchada em vez de misturar. Já ouvi sobre essas coisas antes. E é comum entre os cavalos, como todos sabem.

O SR. CUSS ENTREVISTA O ESTRANHO

Contei as circunstâncias da chegada do estranho a Iping com uma certa riqueza de detalhes para que a curiosa impressão que ele criou possa ser entendida pelo leitor. Mas, com exceção de dois incidentes estranhos, as circunstâncias de sua permanência até o extraordinário dia do festival do clube podem ser mencionadas de forma bem superficial. Havia uma série de conflitos com a sra. Hall em questões de disciplina doméstica, mas, em todos os casos, até o final de abril, quando os primeiros sinais de penúria começaram, ele a dobrou com o fácil recurso de um pagamento extra. Hall não gostava dele e, sempre que se atrevia, falava da conveniência de se livrar dele; mas ele mostrava seu desagrado principalmente ignorando-o de forma ostensiva e evitando seu visitante o máximo possível.

– Espere até o verão – disse a sra. Hall sabiamente –, quando os artistas começarem a aparecer. Então, veremos. Ele pode ser um pouco arrogante, mas contas pagas pontualmente são contas pagas pontualmente, diga o que você quiser.

O estranho não ia à igreja e, aliás, não fazia diferença entre o domingo e os dias não religiosos, nem mesmo nos trajes. Ele trabalhava, como a sra. Hall pensava, de forma muito irregular. Alguns dias, descia cedo e ficava continuamente ocupado. Em outros, levantava tarde, passeava pelo quarto durante horas – nitidamente atormentado –, fumava e dormia na poltrona perto da lareira. Não mantinha comunicação com o mundo além da vila. Seu temperamento continuou muito incerto; na maior parte, seus modos eram os de um homem sofrendo uma provocação quase insuportável, e uma ou duas vezes coisas eram partidas, rasgadas, esmagadas ou quebradas em rajadas espasmódicas de violência. Ele parecia estar sob uma irritação crônica da maior intensidade. Seu hábito de falar sozinho em voz baixa crescia cada vez mais; mas, embora a sra. Hall ouvisse conscientemente, ela não fazia ideia do que escutava.

Ele raramente ia para fora à luz do dia. Mas, no crepúsculo, saía agasalhado, estivesse frio ou não, e escolhia os caminhos mais solitários e obscurecidos por árvores e encostas. Seus óculos esbugalhados e o rosto horrivelmente enfaixado sob a cobertura do chapéu surgiram em meio a uma repentina e desagradável escuridão para um ou dois trabalhadores que iam para casa, e Teddy Henfrey, tropeçando na saída do "Scarlet Coat" uma noite, às nove e meia, assustou-se vergonhosamente com a cabeça em forma de caveira do estranho (ele estava andando com o chapéu na mão) iluminada repentinamente pela luz da porta aberta da hospedaria. As crianças que o viam ao anoitecer tinham pesadelos, e era questionável se ele não gostava de garotos mais do que estes não gostavam dele, ou o contrário; mas havia, certamente, uma aversão bem nítida de ambos os lados.

Era inevitável que uma pessoa de aparência e comportamento tão singulares fosse assunto frequente em uma vila como Iping. A opinião sobre seu trabalho estava muito dividida. A sra. Hall era sensível ao assunto. Quando questionada, explicava com muito cuidado que ele era um "pesquisador experimental", escolhendo cuidadosamente as sílabas como alguém que teme armadilhas. Quando questionada sobre o que era um pesquisador experimental, dizia, com um toque de superioridade, que a maioria das pessoas instruídas sabia coisas desse tipo e, assim, explicava que ele “descobria coisas”. Seu visitante tivera um acidente, ela disse, que descoloriu temporariamente seu rosto e suas mãos e, sendo essa uma situação sensível, ele era avesso a qualquer anúncio público sobre o fato.

Longe dos ouvidos dela, havia uma opinião muito aceita de que ele era um criminoso tentando escapar da Justiça, enfaixando-se de modo a se ocultar completamente dos olhos da polícia. Essa ideia surgiu do cérebro do sr. Teddy Henfrey. Não se sabia de nenhum crime de importância que tivesse ocorrido datando de meados ou no final de fevereiro. Elaborada na imaginação do sr. Gould, o assistente de estágio da Escola Nacional, essa teoria tomou a forma de que o estranho era um anarquista disfarçado, preparando explosivos, então ele resolveu empreender operações de detetive conforme seu tempo permitisse. Estas consistiam, na maior partedo tempo, em observar muito atentamente o estranho sempre que o encontravam, ou em questionar pessoas que nunca o haviam visto, perguntando sobre ele. Mas não detectou nada.

Outra linha de opinião seguia o sr. Fearenside e aceitava a teoria de que ele era malhado ou alguma alteração disso; como a de Silas Durgan, por exemplo, que foi ouvido a afirmar que “se ele optasse por se mostrar em feiras, faria fortuna em pouco tempo” e, sendo um pouco teólogo, comparou o estranho a um homem com um talento único. Ainda outro ponto de vista explicava toda a questão, considerando o estranho um lunático inofensivo. Isso tinha a vantagem de explicar tudo imediatamente.

Entre esses grupos principais, havia os indecisos e os comprometidos. O povo de Sussex tem poucas superstições, e foi somente após os eventos do início de abril que a ideia de sobrenatural ganhou rumores pela primeira vez na vila. Mesmo assim, foi creditado apenas entre as mulheres.

Todavia, o que quer que pensassem dele, as pessoas em Iping, no geral, concordavam em não gostar dele. Sua irritabilidade, embora pudesse ser compreensível para um trabalhador intelectual urbano, foi espantosa para esses moradores tranquilos de Sussex. As gesticulações frenéticas que os surpreendiam de vez em quando, os passos precipitados após o anoitecer que o arrastavam por seus cantos silenciosos, a desumana impetuosidade com todos os tímidos avanços de curiosidade, o gosto pelo crepúsculo que levava ao fechamento de portas, o abaixar de persianas, a extinção de velas e lampiões – quem poderia concordar com isso? As pessoas se afastavam quando ele passava pelo vilarejo e, quando já havia passado, jovens engraçadinhos levantavam colarinhos, abaixavam as abas do chapéu e andavam nervosamente atrás dele, imitando seu comportamento obscuro. Havia uma música popular na época chamada "The Bogey Man[3]". A senhorita Statchell a cantou no concerto da escola (com ajuda dos lampiões da igreja) e, a partir de então, sempre que um ou dois dos aldeões se reuniam e o estranho aparecia, um compasso ou mais dessa música, mais ou menos agudo ou em meio tom, era assobiado no meio deles. Além disso, as criancinhas retardatárias gritavam "Bicho-papão!" atrás dele e fugiam trêmulas de alegria.

Cuss, o clínico geral, foi devorado pela curiosidade. As ataduras excitaram seu interesse profissional, o relatório das mil e uma garrafas despertou seu olhar ciumento. Durante abril e maio, ele cobiçou a oportunidade de conversar com o estranho e, finalmente, no Pentecostes, ele já não aguentava mais e encontrou a lista de assinaturas para uma enfermaria na vila como desculpa. Ele ficou surpreso ao descobrir que o sr. Hall não sabia o nome do hóspede.

– Ele deu um nome – disse a sra. Hall, uma afirmação bastante infundada – mas eu não ouvi direito. Ela pensou que parecia tão tolo não saber o nome do homem.

---

3 Bicho-papão. (N. T.)

Cuss bateu na porta da sala de visitas e entrou. Houve uma blasfêmia bastante perceptível lá dentro.

– Perdoe minha intrusão – disse Cuss e, então, a porta se fechou e excluiu a sra. Hall do resto da conversa.

Ela pôde ouvir o murmúrio de vozes pelos dez minutos seguintes, depois um grito de surpresa, uma agitação de pés, uma cadeira lançada para o lado, uma inesperada gargalhada, passos rápidos para a porta; então, Cuss apareceu, com seu rosto branco, seus olhos encarando por cima do ombro. Deixou a porta aberta atrás dele e, sem olhar para ela, atravessou o hall e desceu os degraus, e ela ouviu os os passos apressados dele pela estrada. Ele carregava o chapéu na mão. A sra. Hall parou atrás da porta, olhando para a porta aberta da sala de visitas. Então, ouviu o estranho rindo baixinho, e logo seus passos atravessaram a sala. Ela não podia ver o rosto dele de onde estava. A porta da sala bateu com violência e o local ficou em silêncio novamente.

Cuss foi direto para a aldeia até o pastor Bunting.

– Eu estou louco? – Cuss começou abruptamente, assim que entrou no pequeno escritório surrado. – Eu pareço um louco?

– O que aconteceu? – perguntou o pastor, colocando a amonita nas folhas soltas de seu futuro sermão.

– Aquele sujeito na hospedaria...

– Então?

– Dê-me algo para beber – disse Cuss, e se sentou.

Quando seus nervos foram acalmados por um copo de xerez barato (a única bebida que o bom pastor tinha disponível), contou ao pastor a entrevista que acabara de ter.

– Entrei – ele arfou – e comecei a reivindicar uma assinatura para o Fundo da Enfermaria. Ele meteu as mãos nos bolsos e sentou-se pomposamente em sua cadeira. Fungou. Eu disse-lhe que ouvi falar sobre o interesse dele por coisas científicas. Ele confirmou. Fungou novamente. Continuou fungando o tempo todo; era evidente que havia pego um resfriado infernal recentemente. Não é de admirar, agasalhado daquela maneira! Eu revelei a ideia da enfermaria e o tempo todo mantive meus olhos abertos. Garrafas de produtos químicos em todos os lugares. Balança, tubos de ensaio nas bancadas e um cheiro de prímula. Ele assinaria? Disse que consideraria isso. Perguntei-lhe, com franqueza, se estava pesquisando. Respondeu que sim. Uma longa pesquisa? Ficou bastante irritado. "Uma maldita e longa pesquisa", ele falou, explodindo, por assim dizer. "Oh", disse eu. E veio a ofensa. O homem estava furioso, e minha pergunta o deixou ainda mais. Ele havia recebido uma receita, uma receita muito valiosa – porque ele não queria dizer. Era médico? "Maldição! Está me investigando?". Eu pedi desculpas. Ele fungou e tossiu exaltadamente. Retomou. Leu. Cinco ingredientes. Abaixou; virou a cabeça. A corrente de ar da janela levantou o papel. Silvo, sussurro. Estava trabalhando em uma sala com uma lareira aberta, ele falou. Viu uma cintilação, e lá estava a receita queimando e subindo pela chaminé. Correu em direção à chaminé e bateu nela. Então! Nesse momento, para esclarecer sua história, seu braço saiu.

– Então?

– Nenhuma mão, apenas uma manga vazia. Meu Deus! Eu pensei, *isso* é uma deformidade! Suponho que tenha um braço de cortiça e o tirou. Então, pensei, há algo de esquisito nisso. O que diabo mantém essa manga levantada e aberta, se não há nada? Não havia nada nela, eu digo. Nada, de cima a baixo, até a articulação. Eu podia ver direto até o cotovelo, e havia um lampejo de luz brilhando pelo rasgão da roupa. – Bom Deus! – eu disse. Então, ele parou. Encarou-me com aqueles óculos escuros e depois olhou para sua manga.

– Então?

– Isso é tudo. Ele nunca disse uma palavra; apenas olhou furiosamente e colocou sua manga de volta no bolso rapidamente. – "Eu estava dizendo" – disse ele – "que lá estava a receita queimando, não estava?" – Tossiu interrogativo. – "Como diabos" – eu falei – "você pode mover uma manga vazia assim?" – "Manga vazia?" – "Sim" – respondi – "uma manga vazia".

– "É uma manga vazia, não é? Você viu que era uma manga vazia?" – Ele se levantou imediatamente. Eu também me levantei. Ele veio em minha direção dando três passos muito lentos, e ficou bem perto. Fungou malevolamente. Eu não vacilei, embora eu eu não fizesse ideia se aquele botão enfaixado dele e aqueles pisca-piscas, se aproximando silenciosamente, não eram suficientes para amedrontar qualquer um.

– "Você disse que era uma manga vazia?" – ele perguntou. – "Certamente" – eu falei. Ao olhar fixamente e não dizer nada, um homem sem rosto, sem óculos, começa a se coçar. Então, muito silenciosamente, ele puxou a manga do seu bolso novamente e levantou o braço em minha direção, como se fosse me mostrar novamente. Ele fez isso muito, muito devagar. Eu olhei para ele. Pareceu um século. – "Bem?" – disse eu, limpando minha garganta: – "não há nada aí".

– Eu tinha que dizer alguma coisa. Eu estava começando a sentir medo. Eu podia ver logo abaixo. Ele estendeu-o em minha direção, lentamente, lentamente – exatamente assim – até que o punho estivesse a quinze centímetros do meu rosto. Coisa estranha ver uma manga vazia vir até você dessa forma! E então...

– Então?

– Algo, exatamente como um dedo e um polegar, beliscou meu nariz.

Bunting começou a rir.

– Não havia nada ali! – Cuss falou, entonando sua voz ao dizer "ali". – muito fácil para você rir, mas digo que fiquei tão assustado que bati com força no punho dele, virei-me e saí da sala, eu o deixei...

Cuss parou. Não havia como negar a sinceridade de seu pânico. Ele se virou de um jeito desamparado e tomou um segundo copo do péssimo xerez do ilustre pastor.

– Quando eu bati no punho dele – Cuss falou –, eu lhe digo, parecia exatamente como bater em um braço. E não havia um braço! Não havia o fantasma de um braço!

O sr. Bunting pensou sobre isso e olhou desconfiado para Cuss.

– É uma história notável – falou. Ele parecia muito sábio e sério mesmo. – Isto é, realmente – continuou Bunting criticamente enfático –, a mais extraordinária história.

O ROUBO AO PRESBITÉRIO

Os episódios do roubo ao presbitério vieram até nós principalmente por intermédio do pastor e de sua esposa. Ele ocorreu nas primeiras horas da segunda-feira de Pentecostes, o dia dedicado às festividades do clube em Iping. A sra. Bunting, ao que parece, acordou de repente na quietude que vem antes do amanhecer, com a forte impressão de que a porta de seu quarto havia sido aberta e fechada. Ela não despertou seu marido a princípio, mas se sentou na cama escutando. Então ouviu claramente as passadas silenciosas de pés descalços saindo do vestiário anexo e caminhando ao longo do corredor em direção à escadaria. Assim que se sentiu segura disso, acordou o reverendo sr. Bunting o mais silenciosamente possível. Ele não acendeu uma luz, mas, colocando seus óculos, o roupão dela e os chinelos, foi ao patamar para ouvir. Escutou nitidamente uma confusão acontecendo em sua mesa, que fica no escritório no andar de baixo e, em seguida, um espirro violento.

Ao voltar para seu quarto, pegou a arma mais óbvia, o atiçador da lareira, e desceu a escadaria da maneira mais silenciosa possível. A sra. Bunting surgiu no patamar.

Eram cerca de quatro horas, e a escuridão da noite já passara. Havia um tênue brilho de luz no *hall*, mas o vão da porta do escritório escancarava uma escuridão impenetrante. Tudo estava quieto, exceto pelo ligeiro ranger das escadas sob os passos do sr. Bunting e os movimentos delicados no escritório. Então algo estalou, a gaveta foi aberta, e houve um farfalhar de papéis. Então veio uma blasfêmia, um fósforo foi aceso e o escritório foi inundado com luz amarela. Agora, sr. Bunting estava no *hall* e, pela brecha da porta, podia ver a mesa e a gaveta aberta e uma vela queimando sobre a mesa. Mas ele não conseguia ver o ladrão. Ficou ali no *hall* indeciso sobre o que fazer, e a sra. Bunting, com a face pálida e absorta, deslizou lentamente escada abaixo depois dele. Uma coisa manteve a coragem do sr. Bunting; a convicção de que esse ladrão era um morador da vila.

Ouviram um tinir de dinheiro e perceberam que o ladrão havia encontrado a reserva doméstica de ouro - um total de duas libras e dez soberanos e meio. Com esse som, o sr. Bunting sentiu-se encorajado a agir de forma abrupta. Empunhando o atiçador firmemente, correu para a sala, seguido de perto pela sra. Bunting.

– Renda-se! – o sr. Bunting gritou ferozmente e depois se curvou, espantado. Aparentemente, a sala estava totalmente vazia.

No entanto, a convicção de que eles tinham, naquele exato momento, ouvido alguém se mover na sala era uma certeza. Durante meio minuto, talvez, eles ficaram boquiabertos, depois a sra. Bunting atravessou a sala e olhou por trás da persiana, enquanto o sr. Bunting, por impulso, espiou embaixo da mesa. Então a sra. Bunting virou as cortinas das janelas para trás, e o sr. Bunting olhou para cima na chaminé e a testou com o atiçador. A sra. Bunting examinou minuciosamente o cesto de lixo, e o sr. Bunting abriu a tampa da lata de carvão. Então eles pararam e permaneceram com os olhos interrogando um o outro.

– Eu poderia jurar – disse o sr. Bunting.

– A vela – ele falou. – Quem acendeu a vela?

– A gaveta! – a sra. Bunting exclamou. – E o dinheiro desapareceu! Ela foi apressadamente para a porta.

– De todas as ocorrências estranhas...

Houve um espirro violento no corredor. Eles saíram correndo e, ao fazê-lo, a porta da cozinha bateu violentamente.

– Traga a vela – disse o sr. Bunting e conduziu o caminho. Ambos ouviram um som de ferrolhos sendo abertos apressadamente.

Quando ele abriu a porta da cozinha, viu através da copa que a porta dos fundos estava se abrindo, e a luz tênue do amanhecer mostrava as formas escuras do jardim lá fora. Ele estava certo de que nada havia saído pela porta. Mas ela se abriu, permaneceu aberta por um momento, e então se fechou com uma violenta batida. Nisso, a vela que a sra. Bunting estava carregando do escritório cintilou e tremeu. Isso foi um minuto ou mais antes de entrarem na cozinha.

O lugar estava vazio. Eles fecharam novamente a porta dos fundos, examinaram a cozinha, a despensa e a copa minuciosamente, e enfim desceram para o porão. Não havia uma alma na casa, por mais que procurassem.

A luz do dia encontrou o pastor e sua esposa, um pequeno casal curiosamente trajado, ainda assombrados, em sua própria casa, à luz desnecessária de uma vela derretendo.

A MOBÍLIA QUE ENLOUQUECEU

Aconteceu que na madrugada da segunda-feira de Pentecostes, antes de Millie iniciar sua rotina, o sr. e a sra. Hall se levantaram e desceram silenciosamente para a adega. Seus negócios lá eram de natureza particular e tinham algo a ver com a densidade de sua cerveja. Eles mal tinham entrado no cômodo quando a sra. Hall percebeu que havia esquecido de trazer uma garrafa de salsaparrilha do seu quarto. Como ela era a especialista e principal operadora neste caso, logicamente foi o sr. Hall quem subiu as escadas para buscar a especiaria.

No patamar, ele ficou surpreso ao ver que a porta do estranho estava entreaberta. Ele entrou em seu quarto e encontrou a garrafa onde indicado.

Entretanto, ao voltar com ela, notou que os ferrolhos da porta da frente tinham sido abertos e que ela estava, de fato, fechada somente com o trinco. E em um lampejo de inspiração, conectou isso com o quarto do estranho lá em cima e as insinuações do sr. Teddy Henfrey. Lembrava-se perfeitamente de segurar a vela enquanto a sra. Hall fechava esses ferrolhos durante a noite. Ao perceber isso, parou, boquiaberto, e então, com a garrafa ainda na mão, subiu novamente. Bateu na porta do estranho. Não houve resposta. Bateu novamente; em seguida, empurrou a porta, abrindo-a, e entrou.

Foi como ele esperava. A cama, e o quarto também, estavam vazios. E o que era mais estranho, mesmo para sua lerda inteligência, na cadeira do quarto e ao longo da grade da cama estavam espalhadas as vestimentas, as únicas, até onde ele sabia, e as ataduras de seu hóspede. Até seu chapéu grande e desleixado estava colocado despreocupadamente no pé da cama.

Enquanto Hall permaneceu ali, ouviu a voz de sua esposa saindo das profundezas da adega, com aquela rápida sobreposição de sílabas e uma ênfase no final das palavras interrogativas com uma nota aguda que o aldeão de West Sussex sabia que sugere uma grande impaciência.

– George! Você pegou o que eu pedi?

Então, ele se virou e correu para ela.

– Jenny – ele disse, por cima do corrimão da escada da adega. –, Henfrey tem razão. Ele não está no quarto, não está. E a porta da frente está destrancada.

A princípio a sra. Hall não entendeu, mas, assim que percebeu, resolveu ver o quarto vazio por si mesma. Hall, ainda segurando a garrafa, foi primeiro.

– Se ele não está lá – falou – e suas roupas estão. O que ele está fazendo sem as roupas, então? Há algo muito curioso nisso.

Quando subiram os degraus da adega, isso se confirmou depois, ambos imaginaram ouvir a porta da frente abrir e fechar, mas vendo-a fechada e mais nada ali, não disseram uma palavra ao outro naquele momento. A sra. Hall ultrapassou o marido no corredor e correu na frente para o andar de cima. Alguém espirrou na escada. Hall, seguindo seis passos atrás, pensou ter ouvido o espirro dela. Ela, indo na frente, teve a impressão de que Hall estava espirrando. Ela abriu a porta e parou, observando o quarto.

– Que curioso! – disse ela.

Ela ouviu um fungar por trás de sua cabeça e, virando-se, ficou surpresa ao ver Hall a menos de dois metros no topo da escada. Mas, em outro momento, ele estava ao lado dela. Ela se inclinou e colocou sua mão no travesseiro e depois debaixo das roupas.

– Frios. – ela falou. – Ele acordou há uma hora ou mais.

Enquanto ela fazia isso, uma coisa extraordinária aconteceu. As roupas de cama se agruparam, saltaram num ímpeto para uma espécie de pico, e então pularam por cima a grade inferior do móvel. Era exatamente como se uma mão as tivesse agarrado no centro e jogado para o lado. Logo em seguida, o chapéu do estranho saltou do pé da cama, fez um voo rodopiante no ar, fazendo quase um círculo completo, e então se atirou diretamente no rosto da sra. Hall. Então, com a mesma rapidez, veio a esponja do lavatório; e por fim a cadeira, jogando descuidadamente o casaco e as calças do estranho para o lado e, rindo claramente em uma voz parecida com a dele, virou-se com suas quatro pernas para a sra. Hall, como se apontasse para ela por um momento, até que se precipitou em sua direção. Ela gritou e se virou, e então as pernas da cadeira vieram gentilmente, mas com firmeza, contra as costas dela e impeliram ela, com o sr. Hall, para fora do quarto. A porta bateu violentamente e foi trancada. A cadeira e a cama pareciam estar executando uma dança de triunfo por um momento, e então abruptamente tudo ficou silencioso.

No patamar, a sra. Hall ficou quase desmaiada nos braços do sr. Hall. Foi com a maior dificuldade que ele e Millie, que fora despertada pelo seu grito de alarme, conseguiram levá-la para o andar de baixo e aplicaram os cuidados habituais em tais casos.

– Foram os espíritos – disse a sra. Hall. – Eu sei que foram os espíritos. Já li em jornais sobre eles. Mesas e cadeiras saltando e dançando...

– Tome mais uma gota, Jenny – Hall falou. – Vai ficar bem logo.

– Tranque-o lá fora – disse a sra. Hall. – Não o deixe entrar de novo. Eu meio que adivinhei: eu poderia ter sabido. Com os olhos esbugalhados e a cabeça enfaixada, e nunca indo à igreja em um domingo. E todas aquelas garrafas: mais no seu direito do que qualquer um tenha. Ele colocou os espíritos na mobília... Minha velha e boa mobília! Era naquela mesma cadeira que minha pobre e querida mãe costumava sentar quando eu era uma menininha. Pensar que agora pôde se erguer contra mim!

– Só mais uma gota, Jenny – Hall falou. – Seus nervos estão perturbados.

Mandaram Millie para o outro lado da rua, sob o sol dourado das cinco horas, para acordar o sr. Sandy Wadgers, o ferreiro. O sr. Hall mandava os cumprimentos e dizia que os móveis do andar de cima estavam se comportando de forma extraordinária. O sr. Wadgers viria? Era um homem de conhecimento, o sr. Wadgers, e muito habilidoso. E ele tinha uma visão bastante grave do caso.

– Pro inferno se aquilo não for bruxaria – era a opinião do sr. Sandy Wadgers. – Você quer ferraduras para sujeitos assim.

Ele veio extremamente preocupado. O casal queria que conduzisse o caminho para o andar de cima até o quarto, mas ele não parecia estar com pressa. Preferiu falar na entrada. Do outro lado da rua, o aprendiz de Huxter saiu e começou recolher as persianas da janela da tabacaria. Chamaram-no para participar da discussão. O sr. Huxter naturalmente o seguiu depois de alguns minutos. O gênio anglo-saxão para o parlamentarismo se impôs; houve muita conversa e nenhuma ação decisiva.

– Vamos primeiro aos fatos. – insistiu o sr. Sandy Wadgers. – Precisamos estar certos de que estaríamos agindo corretamente ao arrombar aquela porta. Uma porta está sempre aberta para arrombar, mas não se pode arrombar uma porta depois de arrombada e...

E repentina e sensacionalmente a porta do cômodo do andar de cima se abriu, e, quando eles olharam para cima, viram, espantados, descer as escadas a figura agasalhada do estranho encarando-os mais sombria e inexpressivamente do que nunca com aqueles enormes olhos de vidro azul. Desceu rígida e lentamente, encarando o tempo todo; andou pela entrada, onde todos estavam, olhando fixamente, e então parou.

– Olhe ali! – disse, e os olhos deles seguiram a direção de seu dedo enluvado e viram uma garrafa de salsaparrilha perto da porta da adega. Então, ele entrou na sala de visitas e, de repente, rápida e cruelmente, bateu a porta violentamente na cara deles.

Nenhuma palavra foi dita até que os últimos ecos da batida tivessem desaparecido. Eles se entreolharam.

– Bem, se isso não foi uma audácia... – disse o sr. Wadgers, e deixou a alternativa não dita.

– Eu entraria e perguntaria – disse Wadgers ao sr. Hall. – Eu exigiria uma explicação.

Demorou algum tempo para levar o marido da senhoria a isso. Por fim, ele bateu, abriu a porta e chegou até lá:

– Com licença...

– Vá para o diabo! – disse o estranho com uma voz assustadora. – Feche essa porta ao sair. – Assim, essa breve conversa terminou.

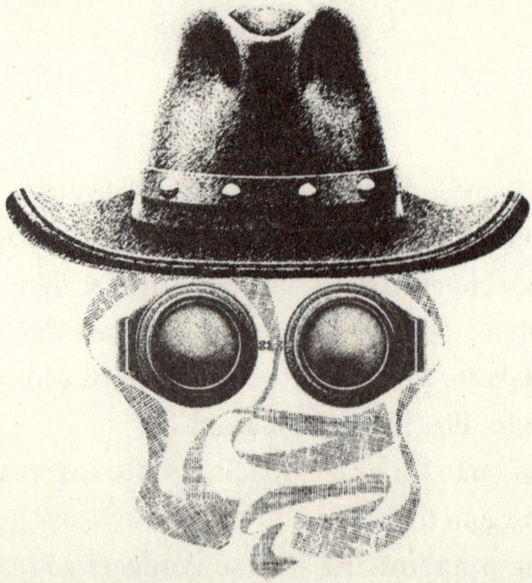

A DESCOBERTA DO ESTRANHO

O estranho entrou na pequena sala de visitas da "Coach and Horses" por volta das cinco e meia da manhã e lá permaneceu até perto do meio dia, as persianas abaixadas, a porta fechada e ninguém, após a expulsão de Hall, aventurou-se a chegar perto dele.

Todo esse tempo ele deve ter jejuado. Três vezes ele tocou sua campainha, pela terceira vez furiosa e continuamente, mas ninguém lhe respondeu.

– Ele e seu "vá para o diabo", francamente! – disse a sra. Hall.

Logo chegou o boato um tanto duvidoso do roubo ao pastor, e os dois acontecimentos foram relacionados. Hall, acompanhado por Wadgers, foi procurar o sr. Shuckleforth, o magistrado, e seguiu seu conselho. Ninguém se aventurou a ir ao andar de cima. Como o estranho se ocupou não se sabe. De vez em quando ele andava violentamente para cima e para baixo, e duas vezes vinha uma explosão de xingamentos, um papel rasgando e um violento despedaçar de garrafas.

O pequeno grupo de pessoas assustadas, mas curiosas, aumentou. A sra. Huxter se aproximou; alguns jovens alegres, resplandecentes em paletós pretos baratos e gravatas de papel *piqué*[4] – porque era segunda-feira de Pentecostes –, juntaram-se ao grupo com perguntas confusas. O jovem Archie Harker se destacou dos demais, subindo o quintal e tentando espiar por baixo das persianas. Ele não conseguiu ver nada, mas deu motivos para supor que sim, e outros jovens de Iping se juntaram a ele.

Era a melhor de todas as segundas-feiras de Pentecostes, e descendo a rua principal da vila havia uma fileira de quase uma dúzia de barracas, um estande de tiro, e, na grama perto da forja, três carroças amarelas e cor de chocolate, com alguns indivíduos pitorescos de ambos os sexos montando um "tiro ao coco". Os cavalheiros usavam malhas azuis e as senhoras, aventais brancos e chapéus bastante elegantes com plumas pesadas. Wodger, do "Purple Fawn", e o Sr. Jaggers, o sapateiro, que também vendia bicicletas comuns de segunda mão, estendiam um cordão de bandeiras britânicas e insígnias da realeza (que originalmente foram usadas no primeiro jubileu vitoriano) de um lado a outro da estrada.

E lá dentro, na escuridão artificial da sala de visitas, na qual apenas um fino raio de sol penetrava, o estranho, faminto – devemos supor – e amedrontado, escondido em suas roupas desconfortavelmente quentes, examinava, através dos óculos escuros, seus papéis e suas garrafinhas trincadas e sujas, ocasionalmente xingando selvagemente os meninos lá fora, de forma audível apesar de invisível. Em um canto, ao lado da lareira, jaziam os fragmentos de meia dúzia de garrafas despedaçadas e um cheiro acre de cloro manchava o ar. Sabemos muito disso pelo que foi ouvido na época e, posteriormente, pelo que foi visto na sala.

Por volta do meio-dia ele abriu a porta da sala subitamente e ficou olhando fixamente para as três ou quatro pessoas no bar.

– Sra. Hall – ele falou.

4 Gravatas feitas em papel que simulam um tecido com relevo, que eram normalmente utilizadas em ocasiões especiais como o Pentecostes.

Alguém saiu timidamente para chamá-la.

A sra. Hall apareceu depois de alguns instantes, um pouco sem fôlego, mas ainda mais furiosa por isso. Hall ainda estava fora e, como ela havia previsto essa cena, veio segurando uma pequena bandeja com uma conta pendente sobre ela.

– Você quer sua conta, senhor? – disse.

– Por que meu café da manhã não foi servido? Por que você não preparou minhas refeições e atendeu minha campainha? Você acha que eu vivo sem comer?

– Por que minha conta não é paga? – a sra. Hall falou. – É isso que eu quero saber.

– Eu lhe disse há três dias que estava esperando uma remessa...

– Eu disse a você há dois dias que não esperaria remessas. Você não pode reclamar se o seu café da manhã esperar um pouco, se minha conta estiver esperando há cinco dias, não é?

O estranho xingou de forma breve, mas intensa.

– Opa, opa! – falaram do bar.

– E agradeço-lhe gentilmente, senhor, se você guardasse para si os seus xingamentos. – disse a sra. Hall.

O estranho, ali parado, parecia um escafandrista[5] enfurecido. Todos no bar sentiram que a sra. Hall levou a melhor sobre ele. E suas próximas palavras mostraram o mesmo.

– Olha aqui, minha boa mulher – ele começou.

– Não me chame de "boa mulher" – disse a sra. Hall.

– Eu disse a você que minha remessa não chegou.

– Remessa, de fato! – disse ela.

– Entretanto, eu digo, no meu bolso...

– Você me disse há três dias que não tinha nada além de um soberano de prata com você.

---

5 Mergulhador que faz investigações subaquáticas usando o escafandro, uma vestimenta hermeticamente fechada, que permite a respiração por meio de uma bomba de ar. O capacete do escafandro é de metal, redondo e conta com uma abertura circular frontal, vindo dessa imagem a comparação com o estranho, nessa passagem. (N. R.)

– Bem, eu encontrei um pouco mais...

– Opa! – falaram do bar.

– Gostaria de saber onde você o encontrou – disse a sra. Hall.

Aquilo pareceu incomodar muito o estranho, que bateu o pé.

– O que você quer dizer? – ele falou.

– Que eu gostaria de saber onde você o encontrou – disse a sra. Hall. – E antes de eu ter mais despesas, preparar o café da manhã ou fazer qualquer coisa assim, você precisa me dizer uma ou duas coisas que eu não entendi, e que ninguém entendeu, e o que todo mundo está querendo muito entender. Eu quero saber o que você está fazendo com a minha cadeira lá em cima, e como é que o seu quarto estava vazio e como você entrou novamente. As pessoas que se hospedam nesta casa entram pelas portas – essa é a regra da casa, e isso você não fez, e o que eu quero saber é como você entrou. E eu quero saber...

De repente, o estranho levantou as mãos enluvadas e cerradas, bateu o pé e disse:

– Pare! – com uma violência tão extraordinária que a silenciou imediatamente.

– Você não entende – disse ele – quem eu sou ou o que sou. Vou lhe mostrar. Por Deus! Vou lhe mostrar.

Então ele colocou a mão aberta sobre seu rosto e a retirou. O centro do seu rosto se tornou uma cavidade negra.

– Tome. – falou. Dando um passo à frente, entregou à sra. Hall algo que ela, olhando fixamente para seu rosto metamorfoseado, aceitou automaticamente. Então, quando viu o que era, ela gritou alto, deixou-o cair e cambaleou para trás. O nariz – era o nariz do estranho! Rosa e brilhante, ele rolou no chão.

Então ele removeu seus óculos e todos no bar ofegaram. Tirou o chapéu e, com um gesto violento, rasgou suas suíças e ataduras. Por um momento elas resistiram a ele. Um lampejo de horrível antecipação passou pelo bar.

– Oh, meu Deus! – disse alguém. Então elas se soltaram.

Foi pior do que qualquer coisa. A sra. Hall, de boca aberta e horrorizada, berrou ao ver aquilo e correu para a porta da casa. Todos começaram a se mover. Estavam preparados para cicatrizes, desfigurações, horrores tangíveis, mas não! As ataduras e o cabelo falso voaram do hall para o bar, fazendo uma rapazinho desajeitado dar um salto para evitá-los. Todos se atropelavam descendo a escada. Porque o homem que estava lá, gritando alguma explicação sem sentido, era uma sólida figura gesticuladora até a gola do casaco, e então – o nada, nenhuma coisa visível!

As pessoas do vilarejo ouviram gritos e berros e, olhando a rua, viram a "Coach and Horses" violentamente expelindo seres humanos. Viram a sra. Hall cair e o sr. Teddy Henfrey saltar para evitar desabar sobre ela, e então ouviram os gritos terríveis de Millie, que, saindo repentinamente da cozinha com o barulho do tumulto, havia encontrado o estranho sem cabeça. E a situação evoluiu rapidamente.

Logo todos na rua – o vendedor de doces, o proprietário do "tiro ao coco" e seu assistente, o homem do balanço, menininhos e garotas, dândis rústicos, moças animadas, idosos bem-vestidos e ciganos a caráter – correram em direção à hospedaria e, em um período milagrosamente curto, uma multidão – de umas quarenta pessoas, talvez, e que aumentava com rapidez, se agitava e vaiava, indagava, exclamava e dava palpites em frente ao estabelecimento da sra. Hall. Todos pareciam ávidos para falar ao mesmo tempo, e o resultado foi uma babel. Um pequeno grupo ajudou a sra. Hall, que foi encontrada quase em colapso. Houve uma discussão e a inacreditável evidência de uma testemunha ocular vociferante.

– O Fantasma!

– O que ele está fazendo, então?

– Não machucou a garota, não é? – Foi pra cima deles com uma faca, acredito.

– Não, estou lhe dizendo. Não é uma maneira de falar. Era mesmo um homem sem cabeça!

– Bobagem! É algum truque.

– Tirou suas ataduras...

Em seu esforço para ver pela porta aberta, a multidão se configurou como um triângulo meio irregular, com seu vértice mais aventureiro próximo à hospedaria.

– Ele parou por um momento, ouvi a garota gritar, e ele se virou. Vi suas saias balançarem e ele foi atrás dela. Não demorou dez segundos. Ele voltou com uma faca na mão e um pão; parado como se estivesse encarando alguma coisa. Não faz muito tempo. Entrou por aquela porta, e lhes digo, não tinha nenhuma cabeça. Por pouco vocês o veriam...

Houve um distúrbio entre os que estavam mais atrás, e a pessoa que narrava tudo afastou-se para dar passagem a uma pequena procissão que marchava muito resolutamente em direção à casa; à frente, o sr. Hall, muito vermelho e determinado; em seguida, o sr. Bobby Jaffers, o policial da vila; e depois, o cauteloso sr. Wadgers. Agora munidos de um mandado.

As pessoas gritavam informações discrepantes das circunstâncias mais recentes.

– Com cabeça ou sem – disse Jaffers –, eu tenho que prendê-lo, e é o que farei.

O sr. Hall subiu os degraus, marchou direto para a porta da sala e a abriu.

– Policial – falou –, faça seu dever.

Jaffers entrou, Hall foi em seguida, Wadgers, por último. Eles viram na penumbra a figura sem cabeça encarando-os, com pedaço de pão mordido em uma mão enluvada e um de queijo na outra.

– É ele! – disse Hall.

– Que diabos é isso? – foi a pergunta, em um tom de furiosa objeção, vinda de cima da gola da figura.

– O senhor é um hóspede muito esquisito. – disse Jaffers. – Com cabeça ou sem, o mandado diz "corpo", e dever é dever...

– Afastem-se! – disse a figura, recuando.

Abruptamente, ele soltou o pão e o queijo, e o sr. Hall agarrou a faca sobre a mesa rapidamente. Eis que a luva esquerda do estranho foi retirada e esbofeteou o rosto de Jaffers, que, logo, interrompendo qualquer declaração formal relativa ao mandado, pegou o estranho pelo pulso sem mão e agarrou sua garganta invisível. Acabou levando um chute ressonante na canela, que o fez gritar, mas sem largar o pescoço de seu oponente. Hall deslizou a faca ao longo da mesa para Wadgers, que, como goleiro na ofensiva, por assim dizer, deu um passo à frente, enquanto Jaffers e o estranho brandiam e cambaleavam em sua direção, se atracando. Uma cadeira no meio do caminho foi atirada para o lado com um estrondo quando os dois caíram juntos.

– Peguem-no pelos pés – disse Jaffers entre os dentes.

O sr. Hall, enquanto se esforçava para seguir essas instruções, recebeu um ressonante chute nas costelas que o deteve por um momento, e o sr. Wadgers, vendo que o estranho sem cabeça havia rolado e estava por cima de Jaffers, recuou em direção à porta, com a faca na mão, colidindo com o sr. Huxter e com o carroceiro de Sidderbridge que vinham em socorro da lei e da ordem. Nesse momento, caíram três ou quatro garrafas da cômoda que lançaram um véu de odor acre no ar.

– Eu me rendo – gritou o estranho, embora dominasse Jaffers.

Então, levantando-se ofegante, a figura estranha, sem cabeça e sem mãos, pois havia tirado agora sua luva direita, além da esquerda.

– Não adianta! – falou, como se estivesse com dificuldade de respirar.

Era a coisa mais extraordinária do mundo ouvir aquela voz que parecia sair do espaço vazio, mas os camponeses de Sussex talvez sejam as pessoas mais pragmáticas sob o sol. Jaffers também se levantou e exibiu um par de algemas. Então ele percebeu.

– Eu digo ora essa! – disse Jaffers, interrompido por uma vaga percepção do absurdo de toda a situação. – Droga! Não posso usá-las sem ver.

O estranho passou o braço para a parte de baixo do colete e, como por um milagre, os botões para os quais manga vazia apontava foram desabotoados. Então ele disse algo sobre sua canela e se debruçou. Parecia mexer nos sapatos e nas meias.

– Ora! – disse Huxter, repentinamente –, isso não é um homem. São apenas roupas vazias. Vejam! Dá para ver seu colarinho e os forros das roupas. Eu poderia colocar meu braço...

Ele estendeu a mão, que pareceu encontrar algo em pleno ar, e recuou com uma exclamação aguda.

– Eu gostaria que você mantivesse seus dedos longe dos meus olhos – disse a voz imaterial, em um tom de franca oposição. – O fato é que estou inteiramente aqui: cabeça, mãos, pernas e tudo mais, mas acontece que estou invisível. É um aborrecimento enorme, mas estou. Não é por isso que devo ser cutucado por cada caipira idiota em Iping até ficar em pedaços, não é?

As roupas, inteiramente desabotoadas e pairando soltas sobre suportes invisíveis, levantaram-se, com as mangas na cintura.

Vários outros homens haviam entrado na sala, de modo que ela estava quase cheia.

– Invisível, hein? – disse Huxter, ignorando os abusos do estranho. – Quem já ouviu algo como isso?

– É incomum, talvez, mas não é crime. Por que estou sendo atacado por um policial dessa maneira?

– Ah! Isso é um assunto diferente – disse Jaffers. – Sem dúvida você é um pouco difícil de ver sob essa luz, mas eu recebi um mandado e está tudo correto. O que estou procurando não é invisibilidade, é roubo. Uma casa foi invadida e levaram o dinheiro.

– E daí?

– E as circunstâncias certamente apontam para...

– Mentiras e bobeiras! – disse o Homem Invisível.

– Espero que sim, senhor; mas estou cumprindo ordens.

– Bem – disse o estranho –, eu irei. Eu *irei*. Mas sem algemas.

– É o procedimento normal – disse Jaffers.

– Sem algemas – exigiu o estranho.

– O senhor me desculpe... – disse Jaffers.

Subitamente, a figura se sentou e, antes que alguém pudesse perceber o que fazia, os chinelos, as meias e as calças haviam sido chutados para baixo da mesa. Então, levantando-se novamente, tirou o casaco.

– Aqui, pare com isso – disse Jaffers, enfim percebendo o que acontecia. Agarrou o colete, que lutou, escorregando da camisa, ficando frouxo e vazio em sua mão. – Peguem-no! – Jaffers disse em voz alta. – Uma vez que ele tira tudo...

– Pega! – todos gritaram, e houve uma corrida pela camisa branca esvoaçante que agora era tudo o que se podia ver do estranho.

A manga da camisa deu um golpe astuto no rosto de Hall, que avançava de braços abertos, e o lançou para trás, sobre o velho Toothsome, o sacristão. Em seguida, a camisa elevou-se, sacudindo as mangas, como quando está sendo tirada de alguém, pela cabeça. Jaffers a agarrou, mas isso apenas ajudou a tirá-la; então, foi atingido na boca por um soco vindo do nada e, em um reflexo, golpeou com seu cassetete, acertando Teddy Henfrey violentamente no alto da cabeça.

– Cuidado! – todos falaram, golpeando ao acaso e batendo no nada. – Segure-o! Feche a porta! Não o deixem solto! Peguei algo! Aqui está ele!

Eles fizeram uma perfeita babel de barulhos. Todo mundo, ao que parecia, estava sendo atingido de uma só vez, e Sandy Wadgers, esperto como sempre, com seu juízo aguçado por um golpe terrível no nariz, reabriu a porta e conduziu o caminho. Os outros, seguindo-o prontamente, ficaram amontoados por um momento no canto da porta. A briga continuou. Phipps, o unitarista, teve um dente da frente quebrado e Henfrey foi ferido na cartilagem de sua orelha. Jaffers foi atingido sob a mandíbula e, girando, apanhou algo que estava entre ele e Huxter, naquela confusão, e impediu que eles se chocassem.

Ele sentiu que era um peito musculoso. Logo em seguida, toda a massa de homens entusiasmados em luta disparou pelo *hall* lotado.

– Peguei ele! – gritou Jaffers, sufocando e cambaleando no meio de todos eles, com o rosto roxo e as veias inchadas devido à luta contra seu inimigo invisível.

Os homens cambaleavam para a direita e para a esquerda enquanto a luta extraordinária acontecia aos solavancos, seguindo rapidamente em direção à porta da casa, e descia girando os seis degraus da hospedaria. Jaffers gritou com uma voz estrangulada, segurando firme, no entanto, e fazendo jogo com o joelho, girou e caiu pesadamente com a cabeça no cascalho. Só então seus dedos relaxaram.

Houve gritos excitados de "Segura ele!", "Invisível!" – e assim por diante, e um jovem rapaz, um desconhecido no lugar cujo nome ninguém jamais soube, veio correndo, pegou algo, soltou e caiu sobre o corpo prostrado do policial. No meio do caminho, do outro lado da rua, uma mulher gritou quando algo a empurrou; um cachorro, aparentemente chutado, ganiu e correu uivando para o quintal de Huxter e, com isso, a fuga do Homem Invisível se concluía. Por um momento, as pessoas ficaram pasmas e gesticulando, e depois veio o pânico que as espalhou pela vila, como uma rajada de vento que espalha folhas mortas.

Mas Jaffers permanecia quieto, com o rosto para cima e os joelhos dobrados, ao pé dos degraus da hospedaria.

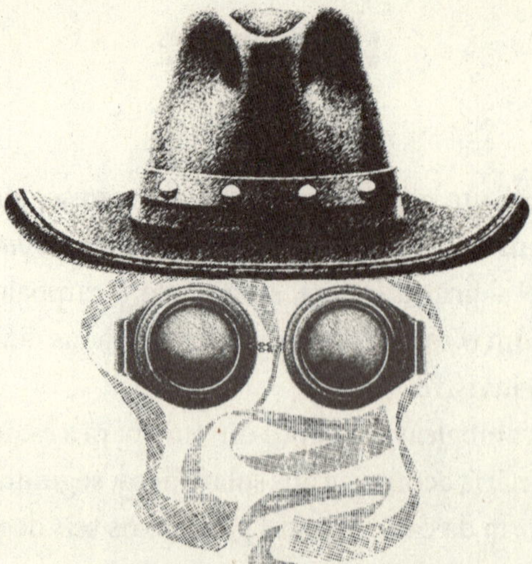

EM TRÂNSITO

O oitavo capítulo é extremamente breve e relata que Gibbons, o naturalista amador do distrito, estava deitado nos vastos espaços abertos dos vales, onde pensava não existir uma vivalma em um raio de quilômetros, e estava quase cochilando, quando ouviu perto dele o som de um homem tossindo, espirrando e depois xingando a si mesmo de forma cruel; e, ao olhar de onde vinha o som, nada viu. Porém, a voz era indiscutível. Continuou a xingar com aquela amplitude e variedade que distinguem os palavrões de um homem culto. Chegou ao clímax, diminuiu novamente e desapareceu na distância, indo, como lhe pareceu, na direção de Adderdean. Ainda voltou, um espirro espasmódico, e sumiu. Gibbons não ouvira nada sobre as ocorrências da manhã, mas o fenômeno era tão impressionante e perturbador que sua tranquilidade filosófica desapareceu; levantou-se apressadamente e desceu a encosta em direção à vila o mais rápido que pôde.

O SR. THOMAS MARVEL

Você deve imaginar o sr. Thomas Marvel como uma pessoa de rosto largo e de aparência flexível, com um nariz de saliência cilíndrica, uma boca voluptuosa, ampla e oscilante e uma barba espetada excêntrica. Seu porte tendia para rechonchudo, e seus membros curtos acentuavam essa tendência. Usava um chapéu de seda puído, e a frequente substituição de cadarço e botões por barbante, aparente em pontos críticos de sua roupa, marcava um homem essencialmente solteiro.

O sr. Thomas Marvel estava sentado com os pés em uma valeta na beira da estrada em direção a Adderdean, a cerca de 1,6 quilômetro de Iping. Seus pés calçavam apenas meias tecidas em uma trama irregular, e tinha os dedões largos e espetados como as orelhas de um cão de guarda. De maneira relaxada (ele fazia tudo de maneira relaxada), contemplava a possibilidade de experimentar um par de botas. Eram as botas mais resistentes que ele havia encontrado em muito tempo, mas grandes demais para ele; enquanto as que ele possuía eram muito confortáveis em tempo seco, mas tinham a sola muito fina para a umidade. O sr. Thomas Marvel odiava sapatos folgados, mas também odiava a umidade. Nunca tinha pensado seriamente sobre qual das opções mais odiava, mas estava um dia agradável e não havia nada melhor para fazer. Então, dispôs os quatro calçados em um grupo elegante no gramado e olhou para eles. E, vendo-os ali, entre a grama e a agrimônias[6] brotando, de repente lhe ocorreu que ambos os pares eram extremamente feios de se ver. Não ficou de modo algum surpreso com uma voz atrás dele.

– De qualquer forma, são botas – disse a voz.

– São botas de caridade – Thomas Marvel falou, com a cabeça de lado, olhando-as com desagrado. – Mas juro que não sei qual deles é o par mais feio de todo o bendito universo!

– Hum... – disse a voz.

– Eu já usei pior, na verdade, fiquei até sem usar nenhuma. Mas nenhuma tão audaciosamente feia, se me permitir usar a expressão. Vinha mendigando botas, em particular, há dias. Porque eu estava cansado delas. Elas são bem resistentes, é claro. Mas um cavalheiro andarilho acaba vendo suas botas por muito tempo. E, se você acredita em mim, não consegui nada em toda essa bendita região, por mais que tentasse, além destas. Olhe para elas! E esta é uma boa região para botas, de uma maneira geral. Mas é apenas a minha má sorte. Eu arrumei minhas botas por aqui há dez anos ou mais. E agora foi isso o que consegui.

– É uma região selvagem – disse a voz. – E porcas, as pessoas.

– Não é? – disse o sr. Thomas Marvel. – Senhor! Mas essas botas! Não pode piorar.

Virou a cabeça para a direita, a fim de olhar as botas do seu interlocutor, com a intenção de compará-las, e eis que onde as botas de seu interlocutor deveriam estar não havia pernas nem botas. Foi irradiado pelo clarão de um enorme espanto.

– Onde você está? – disse Thomas Marvel por cima do ombro e ficando de quatro.

6 Planta medicinal de caule retorcido e flores amarelas, as quais são usadas com as folhas por seus efeitos adstringente, antisséptico, anti-inflamatório e cicatrizante.

Ele viu uma extensão de terra vazia com o vento balançando as pontas verdes dos remotos arbustos.

– Estou bêbado? – disse o sr. Marvel. – Tive visões? Falava comigo mesmo? O que...

– Não fique assustado – disse uma voz.

– Nada de ventriloquismo comigo – Thomas Marvel falou, levantando-se bruscamente. – Onde você está? Estou assustado, de fato!

– Não fique assustado. – repetiu a voz.

– Você ficará assustado em um minuto, seu tolo – disse Thomas Marvel. – Onde você está? Ah, se eu consigo te pegar...

– Você está enterrado? – disse o sr. Thomas Marvel, após um intervalo.

Não houve resposta. O sr. Thomas Marvel permaneceu sem botas e espantado, quase tirando o casaco.

– Piu – disse um pássaro, ao longe.

– Piu, essa é boa! – disse o sr. Thomas Marvel. – Não é hora para bobagem.

O vale estava deserto, de leste a oeste, de norte a sul; a estrada, margeada por suas valetas rasas e estacas brancas, corria suave e vazia, de norte a sul, e, exceto pelo pássaro, o céu azul também estava vazio.

– Então, me ajude – disse Thomas Marvel, colocando o casaco nos ombros novamente. – É a bebida! Eu deveria saber.

– Não é a bebida – disse a voz. – Controle seus nervos.

– Ai! – disse o sr. Marvel, e seu rosto ficou pálido entre suas manchas. – É a bebida! – seus lábios repetiram silenciosamente. Ele permaneceu olhando ao redor, girando lentamente para trás. – Eu poderia jurar que ouvi uma voz – ele sussurrou.

– Claro que ouviu.

– Está aí de novo – disse Marvel, fechando seus olhos e levando a mão à testa, em um gesto trágico. De repente, foi agarrado pela gola e sacudido violentamente, ficando mais atordoado do que nunca.

– Não seja tolo – disse a voz.

– Estou... perdendo... minha... cabeça... – disse o sr. Marvel. – Não adianta. Foi a preocupação com as botas malditas. Estou perdendo essa minha cabeça. Ou é a bebida.

– Nem uma coisa nem outra – disse a voz. – Escute!

– Idiota – disse o Sr. Marvel.

– Um minuto – disse a voz, de forma penetrante, tremendo com autocontrole.

– O quê? – perguntou o sr. Thomas Marvel, com uma estranha sensação de ter sido cutucado no peito por um dedo.

– Você acha que eu sou apenas sua imaginação? Apenas isso, é?

– O que mais você pode ser? – indagou o sr. Marvel, esfregando a nuca.

– Muito bem – disse a voz, em tom de alívio. – Então eu vou atirar pedras em você até que pense diferente.

– Mas onde você está?

A voz não respondeu. Zumbindo veio uma pedra, aparentemente vindo do nada, e errou o ombro do sr. Marvel por um fio de cabelo. Virando-se, ele viu uma pedra pular no ar, traçar uma trajetória elaborada e, depois de parar no ar por um momento, atirando-se a seus pés com uma rapidez quase invisível. Ele estava assustado demais para se esquivar. Zumbindo ela veio e ricocheteou de um dedo descalço para a valeta. O sr. Thomas Marvel deu um pulo de quase meio metro e gritou alto. Então, começou a correr, tropeçou em um obstáculo invisível e caiu sentado.

– E agora? – disse a voz, quando uma terceira pedra saiu do chão em uma curva, pairando no ar acima da cabeça do vagabundo. – Eu sou apenas sua imaginação?

O sr. Marvel, como resposta, tentou se levantar e foi imediatamente jogado ao chão de novo. Ficou deitado e quieto por um momento.

– Se você resistir mais – disse a voz –, jogarei a pedra na sua cabeça.

– É justo – disse o sr. Thomas Marvel, sentando-se, segurando seu dedo ferido na mão e fixando o olhar no terceiro míssil. – Eu não entendo. Pedras se arremessando. Pedras conversando. Volte para o chão. Dane-se. Chega.

A terceira pedra caiu.

– É muito simples – disse a voz. – Eu sou um homem invisível.

– Diga algo que eu não saiba – disse o sr. Marvel, ofegando de dor. – Onde você se escondeu, como você faz isso, eu não sei. Você venceu.

– Isso é tudo – disse a voz. – Eu sou invisível. É isso que eu quero que você entenda.

– Qualquer um poderia ver isso. Não há necessidade de você ficar tão nervoso e impaciente, senhor. Então dê uma pista. Como você está escondido?

– Eu sou invisível. Esse é o grande ponto. E o que eu quero que você entenda é isso...

– Mas cadê você? – interrompeu o sr. Marvel.

– Aqui! Cinco metros à sua frente.

– Oh, vá! Eu não sou cego. Agora vai me dizer que é feito de ar. Eu não sou um desses vagabundos ignorantes...

– Sim, eu sou... como que feito de ar. Você está olhando através de mim.

– O quê! Você não tem corpo? *Vox et*[7]... como é mesmo?... falação. É isso?

– Sou apenas um ser humano... sólido, precisando de comida e bebida, e de se cobrir também, mas sou invisível. Entende? Invisível. É uma ideia simples. Invisível.

– De verdade?

– Sim, de verdade.

– Vamos, me dê a sua mão – disse Marvel –, se você for real mesmo. Não deve ser tão estranho assim, então... Senhor! – ele falou – você me apavorou me agarrando assim!

---

7 Início de uma citação latina, "Vox et praeterea nihil", que significa "Uma voz e nada mais".

Tocou com os dedos a mão que havia fechado em volta de seu pulso e começou a tatear timidamente pelo braço, tocando então um peito musculoso e explorando, por fim, um rosto barbudo. O rosto do sr. Marvel estava estupefato.

– Estou passado! – disse. – Isso é melhor do que brigas de galos! Extraordinário! Consigo ver um coelho através de você, a mais de um quilômetro de distância! Nem um pouco de você visível, exceto...

Ele analisou profundamente o aparente espaço vazio. – Você não tem comido? – ele perguntou, segurando o braço invisível.

– Você está certo, e isso não está muito assimilado pelo meu corpo.

– Ah! – disse o sr. Marvel. – Uma espécie de fantasma, no entanto.

– Claro, tudo isso não é tão maravilhoso quanto você pensa.

– É maravilhoso o suficiente para minhas modestas necessidades – disse o sr. Thomas Marvel. – Como fez isso! Como diabo isso é feito?

– É uma história muito longa. E além do mais...

– Eu digo a você, tudo isso quase me derrubou – disse Marvel.

– O que eu quero dizer agora é o seguinte: preciso de ajuda. Cheguei a essa situação... encontrei você de repente. Eu estava vagando, louco de raiva, nu, impotente. Poderia ter matado alguém. E vi você...

– Senhor! – invocou o sr. Marvel.

– Vim por trás de você... hesitei... continuei...

A expressão do sr. Marvel estava carregado de emoção.

– ... então parei. "Eis é um pária como eu. Este é o homem para mim", pensei comigo mesmo. Então, voltei e vim até você – você. E...

– Senhor! – disse o sr. Marvel. – Mas eu estou todo confuso. Posso perguntar... Como é isso? E de que você precisa, como ajudar? Invisível!

– Quero que você me ajude a conseguir roupas e abrigo, e depois, com outras coisas. Coisas que larguei há muito tempo. Se você não quiser... paciência! Mas você... deveria.

– Olhe aqui – disse o sr. Marvel. – Estou muito espantado. Não me bata mais. E me deixe ir. Tenho que me recuperar um pouco. E você quase quebrou meu dedo do pé. É tudo tão absurdo. Vale deserto, céu vazio. Nada visível por quilômetros, exceto o seio da natureza. E, então, vem uma voz. Uma voz do céu! E pedras! E um punho ... Deus!

– Recomponha-se – disse a voz –, pois você deve fazer o trabalho que eu escolhi para você.

O sr. Marvel bufou, arregalando os olhos.

– Eu escolhi você – disse a voz. – Você é o único homem, tirando alguns daqueles tolos lá embaixo, que sabe que existe um homem invisível. Tem que ser meu ajudante. Ajude-me e farei grandes coisas por você. Um homem invisível é um homem de poder. – parou por um momento para espirrar violentamente.

– Mas, se você me trair – disse ele –, se deixar de fazer o que eu orientar... – fez uma pausa e bateu no ombro do sr. Marvel com inteligência. Marvel deu um grito de terror ao toque.

– Eu não quero te trair – disse o sr. Marvel, afastando-se da direção dos dedos. – Não pense nisso, o que quer que faça. Tudo o que quero fazer é ajudá-lo, apenas me diga o que tenho que fazer. (Meu Deus!) O que você quiser, estou muito disposto a fazer.

A VISITA DO SR. MARVEL A IPING

Depois que a primeira rajada de pânico passou, Iping tornou-se questionadora. O ceticismo repentinamente ergueu sua cabeça; ceticismo bastante nervoso, nada seguro de seus fundamentos, mas, ainda assim, ceticismo. É muito mais fácil não acreditar em um homem invisível; e podiam ser contados nos dedos das duas mãos aqueles que realmente o viram se dissolver no ar ou sentiram a força de seu braço. E dessas testemunhas, o sr. Wadgers estava agora desaparecido, depois de ter se enclausurado inexoravelmente atrás dos ferrolhos e das barras de ferro de sua própria casa, e Jaffers estava deitado catatônico na sala de visitas da "Coach and Horses". Grandes e estranhas ideias que transcendem a experiência, em geral, têm menos efeito sobre homens e mulheres do que considerações menores e mais tangíveis. Iping estava alegre com bandeirinhas, e todos em traje de gala. A segunda-feira de Pentecostes tinha sido esperada por um mês ou mais. À tarde, mesmo aqueles que acreditavam no Invisível estavam começando a retomar seus pequenos entretenimentos, ainda de maneira hesitante, supondo que ele havia desaparecido e, entre os céticos, já tinha virado uma piada. Mas as pessoas, céticas e crentes, mostravam-se extremamente sociáveis durante todo o dia.

A campina de Haysman era animada por uma barraca na qual a sra. Bunting e outras senhoras preparavam o chá, enquanto as crianças da escola dominical corriam e brincavam sob a barulhenta orientação do monitor e das senhoritas Cuss e Sackbut. Sem dúvida, havia uma ligeira inquietação no ar, mas a maioria das pessoas tinha o bom senso de esconder quaisquer receios imaginativos que experimentassem. No gramado da vila, uma forte corda inclinada para baixo, da qual, agarrando um cabo de roldana, alguém podia ser arremessado violentamente contra um saco do outro lado, recebia aprovação considerável entre os adolescentes. E havia também os balanços, o "tiro ao coco" e os passeios, e o órgão de foles, preso a uma pequena rotatória enchia o ar com uma fragrância penetrante de óleo e com uma música igualmente penetrante. Os membros do clube, que frequentaram a igreja pela manhã, estavam esplêndidos com seus emblemas em rosa e verde, e alguns mais animados também adornavam seus chapéus-coco com fitas de cores brilhantes. O velho Fletcher, cujos conceitos do feriado eram rígidos, podia ser visto através dos jasmins, pela sua janela ou pela porta aberta (de onde quer que você escolha olhar), posicionado delicadamente em uma prancha apoiada em duas cadeiras e caiando de branco o teto da sala da frente.

Por volta das quatro horas, um desconhecido entrou na vila vindo da direção das colinas. Era uma pessoa baixa e robusta, com uma cartola incrivelmente surrada e parecia estar quase sem fôlego. Suas bochechas eram alternadamente flácidas e estufadas. Seu rosto avermelhado estava apreensivo, e ele se moveu com uma espécie de entusiasmo relutante. Virou a esquina da igreja e dirigiu-se para a "Coach and Horses". Entre outros, o velho Fletcher se lembrava de tê-lo visto e, de fato, o velho cavalheiro ficou tão impressionado com sua agitação peculiar que, inadvertidamente, deixou que uma quantidade de cal branca escorresse do pincel dentro da manga do seu casaco enquanto olhava para ele.

Esse estranho, segundo as percepções do proprietário do "tiro ao coco", parecia estar falando consigo mesmo, e o sr. Huxter observou a mesma coisa. Parado ao pé da escada do "Coach and Horses", segundo o sr. Huxter, ele parecia sofrer uma séria luta interna antes que pudesse se convencer a entrar na casa. Finalmente, marchou os degraus e foi visto pelo sr. Huxter ao virar à esquerda e abrir a porta da sala. O sr. Huxter ouviu vozes de dentro da sala e do bar informando o homem sobre seu erro.

– Essa sala é privada! – disse Hall, e o desconhecido fechou a porta desajeitadamente e entrou no bar.

Depois de alguns minutos, reapareceu, limpando seus lábios com as costas da mão com um ar de satisfação silenciosa que, de alguma forma impressionou o sr. Huxter. Ficou olhando os arredores por alguns momentos, e então foi visto caminhando de uma maneira curiosamente furtiva em direção aos portões do quintal, sobre o qual a janela da sala se abria. O desconhecido, depois de alguma hesitação, encostou-se em um dos postes do portão, sacou um pequeno cachimbo de argila e se preparou para enchê-lo. Seus dedos tremiam enquanto fazia isso. Acendeu-o desajeitadamente e, cruzando seus braços, começou a fumar em uma atitude lânguida, que suas olhadelas ocasionais para o quintal desmentiam completamente.

Tudo isso o Sr. Huxter viu por cima dos caixotes da janela da tabacaria, e a singularidade do comportamento do homem o impeliu a manter sua observação.

Então, o homem se levantou abruptamente, colocou seu cachimbo no bolso e desapareceu no quintal. Em seguida, o sr. Huxter, imaginando ter sido testemunha de algum furto insignificante, saltou o balcão e correu até a rua para interceptar o ladrão. Ao fazê-lo, o sr. Marvel reapareceu, com seu chapéu inclinado sobre o rosto, segurando uma grande trouxa feita com uma toalha de mesa azul e três livros amarrados com os suspensórios do pastor, como se comprovou posteriormente. Assim que viu Huxter, deu uma espécie de suspiro e, virando bruscamente para a esquerda, começou a correr.

– Pega ladrão! – gritou Huxter e partiu atrás dele.

As sensações do sr. Huxter eram intensas, mas foram breves. Viu o homem diante dele, correndo vigorosamente para a esquina da igreja e pegando a estrada da colina. Viu as bandeiras das festividades da vila, e um rosto ou outro voltado para ele. Berrou novamente:

– Pare!

Mal tinha dado uns dez passos quando sentiu sua canela ser presa de maneira misteriosa, e não estava mais correndo, mas voando no ar com uma rapidez inconcebível. De repente, ele viu o chão se aproximar de seu rosto. O mundo parecia mergulhar em um milhão de manchas de luz ondulantes, e os eventos posteriores deixaram de ser interessantes para ele.

NA "COACH AND HORSES"

Agora, para entender claramente o que aconteceu na hospedaria, é necessário voltar ao primeiro momento em que o sr. Marvel foi visto da janela do sr. Huxter.

Naquela exata ocasião, o sr. Cuss e o sr. Bunting estavam na sala de visitas. Investigavam seriamente as ocorrências estranhas da manhã e, com a permissão do sr. Hall, estavam examinando de forma minuciosa os pertences do Homem Invisível. Jaffers estava se recuperando de sua queda e havia voltado para casa com a ajuda de seus amigos solidários. As roupas espalhadas do estranho foram guardadas pela sra. Hall e o cômodo foi arrumado. E na mesa junto à janela na qual o estranho costumava trabalhar, Cuss descobriu quase imediatamente três grandes livros manuscritos intitulados "Diário".

– Diário! – disse Cuss, pondo os três livros sobre a mesa. – Agora, de qualquer forma, aprenderemos alguma coisa. – O pastor estava com as mãos na mesa.

– Diário – repetiu Cuss, sentando-se, colocando dois volumes para apoiar o terceiro e abrindo-o. – Humm, sem nome na folha de rosto. Que amolação! Números. E imagens.

O pastor aproximou-se para olhar por cima de seu ombro.

Cuss virou as páginas com um semblante inesperadamente decepcionado.

– Eu estou ... ai meu Deus! É tudo cálculo, Bunting.

– Não há diagramas? – perguntou o sr. Bunting. – Nenhuma ilustração dando uma ideia...

– Veja você mesmo – disse Cuss. – Algumas são matemáticas e outras são russas ou alguma dessas línguas (a julgar pelas letras), e algumas são gregas. Agora, o grego que eu pensei que você...

– É claro – o sr. Bunting falou, pegando e limpando seus óculos e de repente se sentindo muito desconfortável, pois ele não tinha nenhum grego em sua mente sobre o qual valesse a pena falar – sim, o grego, é claro, pode fornecer uma pista.

– Eu vou encontrar um lugar para você.

– Prefiro dar uma olhada em todos os volumes primeiro – disse o Sr. Bunting, ainda limpando os óculos. – Uma impressão geral primeiro, Cuss; e então, você sabe, podemos procurar pistas.

Tossiu, colocou seus óculos, arrumou-os enfadonhamente, tossiu novamente e desejou que algo acontecesse para evitar sua exposição aparentemente inevitável. Então, pegou o volume que Cuss lhe entregou, e algo aconteceu.

A porta se abriu de repente.

Ambos os cavalheiros, em um sobressalto violento, olharam para a porta e ficaram aliviados ao ver um rosto parcialmente rosado sob um chapéu de seda puído.

– Cerveja? – perguntou o rosto e ficou olhando.

– Não – disseram os dois cavalheiros ao mesmo tempo.

– Do outro lado, meu homem – disse o sr. Bunting.

– Por favor, feche essa porta – disse Cuss, irritado.

– Tudo bem – disse o intruso, com uma voz baixa curiosamente diferente do tom rouco de sua primeira pergunta. – Você está certo – o intruso falou com a voz inicial. – Pronto para zarpar! – e ele desapareceu e fechou a porta.

– Um marinheiro, creio eu – disse o Sr. Bunting. – Companheiros divertidos, eles são. "Pronto para zarpar!", veja só! Um termo náutico, referindo-se a ele saindo da sala, suponho.

– Acho que sim – disse Cuss. – Meus nervos estão à flor da pele. Isso me fez pular... a porta abrindo desse jeito.

O sr. Bunting sorriu como se não tivesse pulado.

– E agora – ele falou com um suspiro –, esses livros.

Alguém fungou quando ele falou isso.

– Uma coisa é indiscutível – disse Bunting, preparando uma cadeira ao lado da de Cuss. – Certamente, coisas muito estranhas têm acontecido em Iping durante os últimos dias, muito estranhas. É claro que não posso acreditar nessa história absurda de invisibilidade...

– É inacreditável – disse Cuss –, inacreditável. Mas o fato é que eu vi, não há dúvida de que eu vi dentro da manga dele...

– Mas você... você tem certeza? Suponha um espelho, por exemplo... alucinações são tão facilmente produzidas. Não sei se você já viu um ilusionista realmente bom...

– Não vou discutir novamente – disse Cuss. – Nós descartamos essa possibilidade, Bunting. E agora há esses livros... Ah! Aqui está um pouco do que considero grego! Letras gregas, certamente.

Cuss apontou para o meio da página. O sr. Bunting corou de leve e aproximou o rosto, aparentemente encontrando alguma dificuldade com os óculos. De repente, percebeu uma sensação estranha na sua nuca. Tentou erguer a cabeça e encontrou uma resistência imóvel. A sensação foi de uma pressão curiosa, o aperto de uma mão pesada e firme, que baixava seu queixo na direção da mesa sem resistência.

– Não se mexam, homenzinhos – sussurrou uma voz –, ou estouro seus miolos!

Olhou para o rosto de Cuss, próximo ao seu, e cada um viu um reflexo horrorizado de seu próprio pálido espanto.

– Sinto muito tratá-los de maneira tão rude – disse a voz –, mas é inevitável.

– Desde quando vocês aprenderam a se intrometer nas anotações particulares de um pesquisador? – disse a voz; e dois queixos acertaram a mesa simultaneamente, e duas dentaduras sacudiram.

– Desde quando vocês aprenderam a invadir os aposentos privados de um homem em infortúnio? – e o golpe foi repetido.

– Onde colocaram minhas roupas?

– Escute – disse a voz –, as janelas estão fechadas e tirei a chave da porta. Sou um homem bastante forte e tenho o atiçador à mão; além de ser invisível. Não há a menor dúvida de que eu poderia matar vocês dois e fugir facilmente, se eu quisesse... Estão entendendo? Muito bem. Se eu deixar vocês irem, prometem não tentar nenhuma bobagem e fazer o que eu digo?

O pastor e o médico entreolharam-se, e o médico fez uma careta.

– Sim – disse o sr. Bunting, e o médico repetiu.

Então, a pressão nas nucas relaxou; o médico e o pastor sentaram-se, ambos muito vermelhos e balançando as cabeças.

– Por favor, continuem sentados onde estão – disse o Homem Invisível. – Aqui está o atiçador, como podem ver.

– Quando entrei nesta sala – continuou o Homem Invisível, depois de tocar com o atiçador a ponta do nariz de cada um dos visitantes –, eu não esperava encontrá-la ocupada, eu esperava encontrar, além dos meus diários, uma muda de roupa. Onde estão? Não, não se levantem. Já vi que não estão mais aqui. Agora, nessa época, embora os dias estejam quentes o suficiente para um homem invisível andar por aí completamente nu, as noites são bastante frias. Quero roupas, e outras coisas; e também preciso desses três livros.

O HOMEM INVISÍVEL PERDE A PACIÊNCIA

É inevitável que neste ponto a narrativa deva ser interrompida de novo, por uma razão muito dolorosa que logo será descoberta. Enquanto essas coisas aconteciam na sala, e enquanto o sr. Huxter estava observando o sr. Marvel fumando seu cachimbo encostado no portão, a nem dez metros de distância estavam o sr. Hall e Teddy Henfrey discutindo, em estado de confusa perplexidade, o único assunto de Iping.

De repente, ouviu-se um baque violento contra a porta da sala, um grito agudo e depois silêncio.

– Olá! – chamou Teddy Henfrey.

– Olá! – falaram do bar.

O sr. Hall pensava devagar, mas com segurança.

– Isso não está certo – disse ele, saindo de trás do bar em direção à porta da sala.

Ele e Teddy se aproximaram da porta juntos, determinados. Avaliaram toda a situação.

– Algo está errado – disse Hall, e Henfrey acenou concordando.

Correntes de ar de um odor químico desagradável os atingiram, e houve um som abafado de conversa, muito rápido e moderado.

– Vocês aí estão bem? – perguntou Hall, batendo.

A conversa murmurada cessou abruptamente, houve silêncio por um momento, depois foi retomada, em sussurros sibilantes, seguidos de um grito agudo de "Não! Não faça isso!". Ouviu-se, então, um movimento repentino e o som de uma cadeira derrubada e de uma breve luta. Silêncio novamente.

– Que diabos? – exclamou Henfrey, em voz baixa.

– Tudo bem aí? – perguntou outra vez o sr. Hall, de forma brusca.

A voz do pastor respondeu com uma entonação curiosamente entrecortada:

– Muito be-bem. Por favor... nã-não... interrompa.

– Estranho! – disse o sr. Henfrey.

– Estranho! – ecoou o sr. Hall.

– Ele falou: "Não interrompa" – disse Henfrey.

– Eu ouvi – disse Hall.

– E uma fungada – disse Henfrey.

Eles permaneceram ouvindo. A conversa foi rápida e contida.

– Não posso! – disse o sr. Bunting, elevando voz – Eu lhe digo, senhor, não vou fazer.

– O que foi isso? – perguntou Henfrey.

– Ele falou que não vai fazer. – disse Hall. – Não estava falando conosco, estava?

– Vergonhoso! – disse o sr. Bunting, dentro da sala.

– Vergonhoso – Henfrey falou. – Ouvi claramente.

– Quem está falando agora? – perguntou Henfrey.

– O Sr. Cuss, suponho – disse Hall. – Você consegue ouvir alguma coisa?

Silêncio. Os sons lá dentro eram indistintos e intrigantes.

– Parece que puxaram a toalha de mesa – disse Hall.

A sra. Hall apareceu atrás do bar. Hall fez gestos para que ficasse em silêncio e a chamou. Isso despertou a oposição própria das esposas em sra. Hall.

– O que você está ouvindo, Hall? – ela perguntou. – Você não tem nada melhor para fazer, em um dia cheio como este?

Hall tentou expressar tudo por caretas e mímicas, mas a sra. Hall estava inflexível. Ela levantou a voz. Então, ele e Henfrey, cabisbaixos, voltaram na ponta dos pés para o bar, gesticulando na tentativa de explicar para ela o que acontecia.

De início, ela se recusou a dar importância ao que eles tinham ouvido. Então, insistiu para que Hall ficasse em silêncio, enquanto Henfrey lhe contava sua história. Ela estava disposta a achar tudo uma bobagem, talvez eles estivessem apenas movendo os móveis.

– Eu ouvi dizerem "vergonhoso"; eu ouvi! – disse Hall.

– Também ouvi isso, sra. Hall – disse Henfrey.

– Como não... – começou a sra. Hall.

– Shhh! – disse o sr. Teddy Henfrey. – Isso é a janela?

– Qual janela? – perguntou a sra. Hall.

– Da sala de estar – disse Henfrey.

Todos ficaram ouvindo atentamente. Os olhos da sra. Hall viram bem à sua frente, sem registrar, o retângulo brilhante da porta da hospedaria, a estrada branca e nítida, e a fachada da loja de Huxter reluzente ao sol de junho. De repente, a porta de Huxter abriu e ele apareceu, com os olhos arregalados e excitados, os braços gesticulando.

– Ei! – Huxter gritou. – Pega ladrão! – e correu sinuosamente pelo arco em direção aos portões do quintal, desaparecendo.

Ao mesmo tempo, veio um tumulto da sala e um som de janelas sendo fechadas.

Hall, Henfrey e os homens do bar saíram correndo a esmo para a rua. Viram alguém dobrar a esquina em direção à estrada e o sr. Huxter realizando um salto complicado no ar, caindo com rosto e ombros no chão. Na rua, as pessoas ficaram paradas e espantadas ou corriam na mesma direção que eles.

O sr. Huxter estava atordoado. Henfrey parou e fez essa constatação, mas Hall e os dois trabalhadores do bar correram imediatamente para a esquina, gritando coisas incoerentes, e viram o sr. Marvel desaparecendo ao virar o muro da igreja. Pareciam ter chegado à impossível conclusão de que esse era o Homem Invisível, que de repente tornou-se visível, e partiram imediatamente pela ruela em perseguição. Mas Hall não tinha corrido nem 11 metros antes de dar um grito de espanto e voar de cabeça para o lado, agarrando um dos trabalhadores e trazendo-o ao chão. Ele havia sido atacado assim como alguém ataca um homem no rúgbi. O segundo trabalhador aproximou-se e, imaginando que Hall havia tropeçado, virou-se para retomar a perseguição, apenas para ser atingido no tornozelo, como Huxter havia sido. Então, quando o primeiro trabalhador tentou se levantar, levou um chute que poderia ter derrubado um boi.

Quando ele caiu, a correria vindo da praça chegou ao redor da esquina. O primeiro a aparecer foi o proprietário do "tiro ao coco", um homem robusto de camisa azul. Ele ficou surpreso ao ver a ruela vazia, exceto por três homens ridiculamente esparramados no chão. E, então, algo aconteceu com seu pé de apoio e ele caiu de cabeça, rolando para o lado bem a tempo de acertar os pés de seu irmão e parceiro, que o seguia. Os dois foram chutados, pisoteados e xingados por um grande número de pessoas que vinham correndo.

Agora, quando Hall, Henfrey e o trabalhador saíram correndo de casa, a sra. Hall, que fora disciplinada por anos de experiência, permaneceu no bar ao lado do caixa. E, de repente, a porta da sala de estar foi aberta, e o sr. Cuss apareceu e, sem encará-la, correu imediatamente os degraus na direção da esquina.

– Segure ele! – ele gritou. – Não o deixe largar esse pacote.

Ele nada sabia da existência de Marvel, pois o Homem Invisível entregara os livros e a trouxa com roupas no quintal. O semblante do sr. Cuss estava furioso e resoluto, mas seu traje estava incompleto, uma espécie de saia branca que só passaria impune na Grécia.

– Segure ele! – gritou. – Ele pegou minhas calças! E todas as roupas do pastor!

– Volto em um minuto para cuidar dele! – gritou para Henfrey quando passou pelo prostrado Huxter e, dobrando a esquina para se juntar ao tumulto, foi atingido em seus pés e se esparramou de forma indecorosa. Alguém em desabalada carreira pisou com força em seu dedo. Ele gritou, tentou ficar em pé, foi golpeado e caiu de quatro novamente, e percebeu que não estava envolvido em uma perseguição, mas em uma debandada. Todo mundo estava correndo de volta para a vila. Ele se levantou de novo e foi atingido bruscamente atrás da orelha. Cambaleou e partiu imediatamente para a "Coach and Horses", saltando por cima do abandonado Huxter, que agora já estava sentado.

Quando estava no meio da escada da hospedaria, ele ouviu um inesperado grito de raiva, elevando-se de modo repentino da confusão de gritos, e um tabefe sonoro no rosto de alguém. Ele reconheceu a voz como sendo do Homem Invisível, e o tom era a de um homem subitamente enfurecido por um golpe doloroso.

Logo em seguida, o sr. Cuss estava de volta à sala.

– Ele está voltando, Bunting! – disse, entrando. – Salve-se!

O sr. Bunting estava parado na janela, engajado em uma tentativa de se vestir com o tapete da lareira e um exemplar da *West Surrey Gazette*.

– Quem está vindo? – perguntou, tão assustado que sua roupa por pouco escapou da desintegração.

– O Homem Invisível – disse Cuss, e correu para a janela. – É melhor sairmos daqui! Ele está lutando como louco! Louco!

Pouco depois, Cuss estava no quintal.

– Deus do céu! – disse o sr. Bunting, hesitando entre duas alternativas horríveis. Ouviu uma luta assustadora no corredor da hospedaria e sua decisão foi tomada. Pulou a janela, ajeitou sua roupa às pressas e fugiu pela vila tão rápido quanto suas pernas pequenas e gordas permitiam.

Desde o momento em que o Homem Invisível gritou de raiva e o sr. Bunting fez seu voo memorável pela vila, tornou-se impossível fazer um relato consecutivo dos acontecimentos em Iping. Provavelmente, a intenção original do Homem Invisível era simplesmente cobrir a retirada de Marvel com as roupas e os livros. Mas seu humor, em nenhum momento muito bom, parece ter ido embora completamente ante algum golpe casual, e imediatamente ele começou a bater e derrubar, pela mera satisfação de machucar.

Imagine a rua cheia de figuras correndo, portas batendo e brigas por esconderijos. Imagine o tumulto subitamente atingindo o equilíbrio instável das velhas tábuas e das duas cadeiras de Fletcher, com resultados cataclísmicos. Imagine um casal estupefato pego de forma desconcertante em um balanço. E assim todo o tumulto passou e a rua principal de Iping, com seus enfeites e bandeiras, ficou deserta, a não ser pelo ainda furioso ser invisível, e repleta de cocos, telas de lona derrubadas e o estoque de uma barraca de doces espalhado pelo chão. Em todos os lugares, ouvia-se o som de janelas fechando e ferrolhos sendo travados, e o único sinal visível de um ser humano é um ocasional olhar movendo-se rapidamente sob uma sobrancelha levantada no canto de uma vidraça.

O Homem Invisível se divertiu por um tempo quebrando todas as janelas da "Coach and Horses", e também jogou um lampião da rua pela janela da sala de estar da sra. Gribble. Deve ter sido ele quem cortou o cabo do telégrafo para Adderdean, logo depois da cabana de Higgins, na estrada para lá. E depois disso, como permitiram suas qualidades peculiares, deixou totalmente de lado as percepções humanas e não foi mais ouvido, visto, nem sentido em Iping. Desapareceu completamente.

Contudo, esta foi a melhor parte das duas horas antes que qualquer ser humano se aventurasse novamente na desolação da rua principal de Iping.

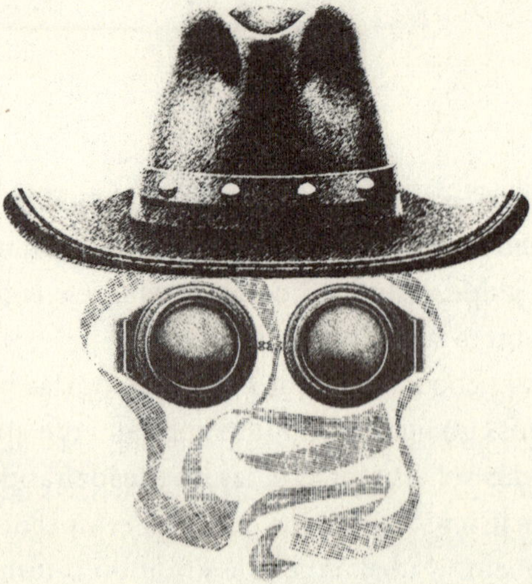

O SR. MARVEL DISCUTE SUA DEMISSÃO

Quando o anoitecer se aproximava e Iping timidamente começava a espiar o estrago e os destroços de seu feriado, um homem baixo e atarracado com um velho chapéu de seda caminhava, dolorido, no crepúsculo, por trás dos bosques de faia, na estrada para Bramblehurst. Ele carregava três livros amarrados por um tipo de ligadura elástica ornamental e uma trouxa feita com uma toalha de mesa azul. Seu rosto avermelhado expressava consternação e fadiga; parecia estar com um tipo de pressa espasmódica. Vinha acompanhado por uma voz que não era a sua e a todo momento estremecia sob o toque de mãos invisíveis.

– Se você fugir novamente – disse a voz – se tentar fugir novamente...

– Deus! – disse o sr. Marvel. – Esse ombro está todo machucado.

– ... por minha honra – disse a voz –, eu vou te matar.

– Eu não tentei fugir – disse Marvel, com uma voz quase chorosa. – Juro que não. Eu não conhecia a bendita esquina, isso foi tudo! Como, diabos, eu conheceria a bendita esquina? E eu fui espancado...

– Você será espancado muito mais, caso tenha interesse em saber – disse a voz, e o sr. Marvel abruptamente ficou em silêncio. Bufou e seus olhos expressavam desespero.

– Já é ruim o suficiente deixar que esses caipiras estúpidos exponham meu pequeno segredo, sem que você tente fugir com meus livros. Foi muita sorte que alguns deles desistiram e fugiram! Aqui estou eu... Ninguém sabia que eu era invisível! E agora, o que devo fazer?

– O que *eu* devo fazer? – perguntou Marvel, em voz baixa.

– A história se espalhou. Estará nos jornais! Todo mundo virá me procurar; todo mundo em guarda... – A voz interrompeu as intensas vociferações e cessou.

O desespero do rosto do sr. Marvel se aprofundou e seu ritmo diminuiu.

– Ande! – disse a voz.

O rosto do sr. Marvel assumiu uma tonalidade acinzentada entre as manchas mais vermelhas.

– Não deixe os livros caírem, estúpido – disse a voz, bruscamente, ultrapassando-o.

– O fato é que – disse a voz –, terei que fazer uso de você... Você é uma ferramenta miserável, mas necessária.

– Eu sou uma ferramenta *miserável* – disse Marvel.

– Você é – a voz falou.

– Sou a pior ferramenta que você poderia ter – disse Marvel.

– Eu não sou forte – disse ele, depois de um silêncio desencorajador.

– Eu não sou nada forte – ele repetiu.

– Não?

– E meu coração está fraco. Todo esse pequeno negócio, eu consegui fazer, é claro, mas, por Deus, eu poderia ter desistido.

– Então?

– Não tenho coragem e força para o tipo de coisa que você deseja.

– Será recompensado.

– Melhor não. Eu não gostaria de estragar seus planos, você sabe. Mas eu posso acabar atrapalhando, por puro medo e ansiedade.

– É melhor não – disse a voz, com uma leve ênfase.

– Eu queria estar morto – disse Marvel.

– Não é justo, você deve admitir... Tenho todo o direito...

– Ande logo! – disse a voz.

O sr. Marvel apressou o passo e, por um tempo, eles ficaram em silêncio novamente.

– É difícil como o diabo – lamentou-se Marvel, sem o menor resultado. Tentou, então outra abordagem.

– O que eu ganho com isso? – começou novamente, em um tom de insuportável indignação.

– Oh! Cale a boca! – disse a voz, com repentino e surpreendente vigor. – Eu vou cuidar de você. Você faz o que lhe é mandado. Você vai conseguir. É um tolo e tudo mais, mas você vai fazer...

– Eu lhe digo, senhor, eu não sou o homem para isso. Respeitosamente, mas essa é a verdade...

– Se você não calar a boca, vou torcer seu pulso outra vez – disse o Homem Invisível. – Preciso pensar.

Logo, dois retângulos de luz amarela apareceram entre as árvores, e a torre quadrada de uma igreja emergiu através do crepúsculo.

– Vou manter minha mão em seu ombro – disse a voz – por toda a vila. Vá direto e tente não fazer bobagem. Será pior para você se o fizer.

– Eu sei disso – suspirou o sr. Marvel –, sei tudo isso.

A figura de aparência infeliz, usando seu obsoleto chapéu de seda, passou pelas ruas da pequena vila carregando seus pacotes e desapareceu, fundindo-se à escuridão, além das luzes das janelas.

EM PORT STOWE

Às dez horas da manhã seguinte, o sr. Marvel, com a barba por fazer, sujo e empoeirado da viagem, estava sentado com os livros a seu lado e com as mãos enfiadas nos bolsos, parecendo muito cansado, nervoso e desconfortável, e inflando suas bochechas em intervalos irregulares, no banco do lado de fora de uma pequena hospedaria nos arredores de Port Stowe. Ao lado dele estavam os livros, mas agora amarrados com barbante. A trouxa fora abandonada nos pinhais além de Bramblehurst, depois de uma mudança nos planos do Homem Invisível. O sr. Marvel sentou-se no banco e, embora ninguém lhe desse a mínima atenção, mantinha uma agitação febril. Suas mãos percorriam repetidamente seus vários bolsos com um curioso nervosismo.

Depois de ficar sentado por quase uma hora, um marinheiro idoso, carregando um jornal, saiu da hospedaria e sentou-se ao lado dele.

– Dia agradável – disse o marinheiro.

O sr. Marvel olhou de relance para ele com uma expressão muito parecida com terror.

– Muito – ele falou.

– Um clima adequado para a época do ano – disse o marinheiro, insistente.

– É verdade – concordou o sr. Marvel.

O marinheiro sacou um palito de dente e (com exceção de seu olhar) ficou ocupado com aquilo por alguns minutos. Enquanto isso, seus olhos estavam livres para examinar a figura empoeirada do sr. Marvel e os livros a seu lado. Quando se aproximou do sr. Marvel, ouvira um som como o tilintar de moedas dentro de um bolso. Foi, então, assolado pelo contraste da aparência do sr. Marvel com esse sinal de abundância. Por isso, sua mente voltou novamente a algo que tinha se apossado de sua imaginação.

– Livros? – ele disse de repente, terminando ruidosamente com o palito.

O sr. Marvel, em um sobressalto, olhou para eles.

– Ah, sim – ele falou. – Sim, são livros.

– Há coisas extraordinárias nos livros – disse o marinheiro.

– Verdade – concordou o sr. Marvel.

– E muitas coisas extraordinárias fora deles – acrescentou o marinheiro.

– É verdade também – assentiu Marvel, olhando de relance para seu interlocutor e à sua volta.

– Há algumas coisas extraordinárias nos jornais, por exemplo – disse o marinheiro.

– Há.

– Neste jornal aqui– continuou o marinheiro.

– Ah! – disse o sr. Marvel.

– Há uma história – disse o marinheiro, fixando o sr. Marvel com um olhar firme e decidido –, há uma história sobre um Homem Invisível, por exemplo.

O sr. Marvel contorceu a boca , coçou sua bochecha e sentiu suas orelhas ardendo.

– O que eles escreverão a seguir? – ele perguntou vagamente. – Foi na Áustria ou na América?

– Nem um nem outro – disse o marinheiro. – Aqui.

– Senhor! – disse o sr. Marvel, estremecendo.

– Quando eu digo aqui – disse o marinheiro, para o intenso alívio do sr. Marvel –, é claro que não quero dizer aqui neste lugar, quero dizer por aqui, nos arredores.

– Um Homem Invisível! – disse o sr. Marvel. – E o que ele tem feito?

– Tudo – disse o marinheiro, observando Marvel e depois enfatizando –, tudo de ruim...

– Há quatro dias não leio um jornal – disse Marvel.

– Iping é o lugar onde ele começou – disse o marinheiro.

– É mesmo? – perguntou o Sr. Marvel.

– Ele começou lá. E de onde ele veio, ninguém parece saber. Aqui está: "História peculiar em Iping". E diz neste jornal que a evidência é extraordinariamente forte... extraordinária.

– Deus! – disse o sr. Marvel.

– Mas, então, é uma história extraordinária. Há um pastor e um médico como testemunhas, viram-no bem e adequadamente ou , melhor dizendo, não o viram. Diz aqui que estava hospedado na "Coach and Horses", e ninguém parece estar ciente de seu infortúnio, diz, "ciente de seu infortúnio", até que, em uma briga na hospedaria, suas ataduras na cabeça foram arrancadas. Foi então observado que sua cabeça era invisível. Imediatamente, foram feitas tentativas para protegê-lo, mas jogaram fora suas roupas, afirmam, e ele conseguiu escapar, mas não até depois de uma luta desesperada, na qual ele infligira ferimentos graves, dizem, em nosso policial digno e capaz, sr. J. A. Jaffers. História bastante clara, hein? Nomes e tudo.

– Deus! – disse o sr. Marvel, olhando nervoso para ele, tentando contar o dinheiro nos seus bolsos apenas com o tato, e tomado por uma ideia estranha e nova. – Parece muito surpreendente.

– Não é? Extraordinário, eu chamo. Nunca ouvi falar de homens invisíveis antes, nunca, mas hoje em dia se ouve tantas coisas extraordinárias que...

– Isso foi tudo o que ele fez? – perguntou Marvel, tentando parecer à vontade.

– É o suficiente, não é? – disse o marinheiro.

– Não voltou por acaso? – perguntou Marvel. – Apenas escapou e isso é tudo?

– Tudo! – disse o marinheiro. – Por quê?! Não é suficiente?

– Mais do que suficiente – disse Marvel.

– Eu acho que foi o suficiente – disse o marinheiro. – Eu acho que foi o suficiente.

– Ele não tinha nenhum parceiro... não diz que ele tinha parceiros, não é? – perguntou o sr. Marvel, ansioso.

– Um só desse tipo não é suficiente para você? – perguntou o marinheiro. – Não, graças a Deus, como se poderia dizer, ele não tinha.

Ele assentiu com a cabeça lentamente.

– Fico desconfortável com a simples ideia desse sujeito circulando pela região! Ele está em liberdade e, com base em certas evidências, supõe-se que ele tenha tomado (tomou, é o que querem dizer) a estrada para Port Stowe. É bem onde estamos agora! E não é nenhuma daquelas fantasias americanas, dessa vez. Pense nas coisas que ele poderia fazer! O que seria de você se ele aparecesse aqui e resolvesse atacá-lo? E se ele quiser roubar, quem pode impedi-lo? Ele pode invadir, burlar, poderia atravessar um cordão de policiais tão facilmente quanto eu ou você poderíamos despistar um cego! Com mais facilidade! Já que esses camaradas cegos têm o ouvido muito bom, me disseram. E onde quer que houvesse bebida...

– Ele tem uma vantagem tremenda, certamente – disse Marvel. – E, bem...

– Você está certo – disse o marinheiro. – Ele tem.

Durante todo esse tempo, o sr. Marvel estava olhando atentamente para ele, ouvindo passos indistintos, tentando detectar movimentos imperceptíveis. Parecia a ponto de uma grande resolução. Tossiu, protegendo a boca com a mão.

Olhou ao redor novamente, ouviu, inclinou-se para o marinheiro e abaixou a voz:

– O fato é que... por acaso... sei uma coisa ou duas sobre esse Homem Invisível. De fontes secretas.

– Oh! – exclamou o marinheiro, interessado. – Você?

– Sim – o sr. Marvel falou. – Eu.

– Ora! – disse o marinheiro. – E posso perguntar...

– Você ficará pasmo – disse o sr. Marvel, com uma expressão de que sabia muito do assunto. – É fantástico.

– Realmente! – disse o marinheiro.

– O fato é que – começou o sr. Marvel com entusiasmo, em um tom confidencial. De repente, sua expressão mudou completamente.

– Ai! – gemeu.

Levantou-se de seu assento, muito tenso. Seu rosto demonstrava grande sofrimento físico.

– Ui! – gemeu novamente.

– O que foi? – perguntou o marinheiro, preocupado.

– Dor de dente – disse Marvel, levando a mão ao ouvido e pegando os livros.

– Acho que devo ir andando – falou.

Deslizou de maneira curiosa ao longo do assento, para longe do seu interlocutor.

– Mas você ia me contar sobre esse Homem Invisível! – protestou o marujo.

O sr. Marvel parecia consultar a si mesmo.

– Farsa – disse uma voz.

– É uma farsa – disse Marvel.

– Mas está no jornal – disse o marinheiro.

– Farsa da mesma forma – disse Marvel. – Conheço o sujeito que começou a mentira. Não há nenhum Homem Invisível ou seja lá o que for. Uma pena.

– Mas e quanto a este jornal? Você quer dizer...?

– Nem uma palavra disso – disse Marvel, com firmeza.

O marinheiro olhou fixamente, jornal na mão. O sr. Marvel virou de forma brusca.

– Espere um pouco – disse o marinheiro, levantando-se e falando devagar –, você quer dizer...?

– Sim – disse o sr. Marvel.

– Então por que você me deixou continuar e lhe contar todas essas bobeiras? O que você quer ao deixar um homem se fazer de bobo assim? Hein?

O sr. Marvel bufou. O marinheiro ficou subitamente muito vermelho e cerrou os punhos.

– Estou conversando aqui há dez minutos – ele falou – e você, seu cara de pau barrigudinho, filho de uma boa mãe, não teve nem a consideração...

– Meça as palavras para falar comigo – disse o sr. Marvel.

– Medir as palavras?!! Eu sou uma pessoa de paz...

– Venha – disse uma voz, e o sr. Marvel de repente se virou e começou a andar dando arranques.

– É melhor mesmo você seguir em frente – disse o marinheiro.

– Quem está seguindo em frente? – disse o sr. Marvel.

Ele estava recuando sinuosamente com uma marcha curiosa e rápida, com ocasionais empurrões violentos para a frente. Mais adiante, na estrada, começou um monólogo murmurado, com muitos protestos e recriminações.

– Pobre-diabo! – disse o marinheiro, com as pernas afastadas e as mãos na cintura, observando aquela figura se afastando.

– Eu vou lhe mostrar, seu idiota... me enganando! Está aqui, no jornal!

O sr. Marvel retrucou incoerentemente e retirou-se, sumindo na curva da estrada, enquanto o marinheiro ainda permaneceu imponente no meio da via, de onde saiu para dar passagem ao carrinho de um açougueiro. Então, virou-se para Port Stowe.

– Estou farto desses idiotas esquisitos – disse calmamente para si mesmo. – Só para me fazer de besta... que brincadeira boba... Está no jornal!

E havia outra coisa extraordinária sobre a qual ele estava prestes a ouvir, que havia acontecido bem perto dele. Foi a visão de um "punhado de dinheiro" (não menos que isso) flutuando sem que houvesse um portador visível, ao longo do muro na esquina da St. Michael's Lane. Um colega marinheiro tinha testemunhado esse acontecimento impressionante naquela mesma manhã. Ele tentou pegar o dinheiro e foi atingido na cabeça, caindo no chão. Quando se levantou, o dinheiro borboleteante tinha desaparecido. Nosso marinheiro, àquela altura, podia acreditar em qualquer coisa, conforme dissera, mas isso era difícil de engolir. Mais tarde, entretanto, ele começou a pensar sobre tudo aquilo.

A história do dinheiro voador era verdadeira. E por toda a vizinhança, da imponente "London and Country Banking Company" às lojas e pousadas – que mantinham as portas bem abertas naquele tempo ensolarado –, o dinheiro formava, em silêncio e com destreza, punhados e rolos e saía flutuando por muros e lugares sombrios, esquivando-se rapidamente dos olhos dos homens que se aproximavam. E, embora ninguém tivesse rastreado o trajeto, invariavelmente o dinheiro terminava seu voo misterioso nos bolsos daquele cavalheiro agitado de chapéu de seda puída, sentado do lado de fora da pequena hospedaria nos arredores de Port Stowe.

E foi dez dias depois, e de fato apenas quando a história de Burdock já era antiga, que o marinheiro reuniu esses fatos e começou a entender o quão perto esteve do incrível Homem Invisível.

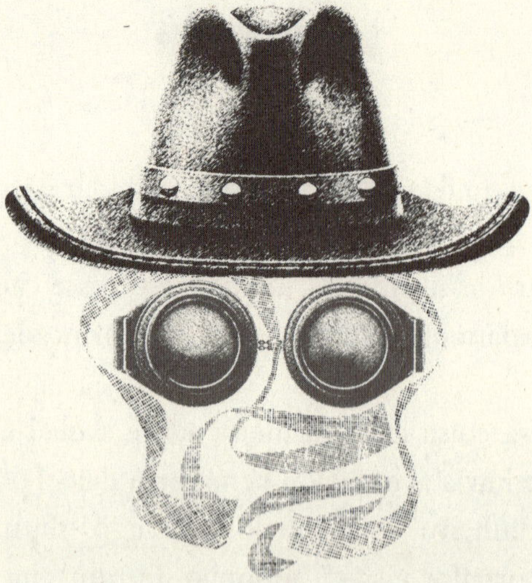

O HOMEM QUE CORRIA

No início da noite, o Dr. Kemp estava sentado em seu escritório no mirante da colina, com vista para Burdock. Era uma sala agradável, com três janelas – norte, oeste e sul – e estantes cobertas de livros e publicações científicas, uma ampla escrivaninha e, sob a janela norte, um microscópio, lâminas de vidro, instrumentos minúsculos, algumas culturas e frascos de reagentes espalhados. A lâmpada solar do dr. Kemp estava acesa, embora o céu ainda estivesse brilhando com a luz do pôr do sol, e suas persianas suspensas, pois não havia o risco de que passantes curiosos o obrigassem a fechá-las. O Dr. Kemp era um jovem alto e esbelto, com cabelos louros e bigode quase branco, e o trabalho que ele realizava lhe renderia, assim esperava, o título da Royal Society, tamanha era sua dedicação.

Seus olhos, distraídos de seu trabalho, capturaram o pôr do sol brilhando atrás da colina oposta à da sua casa. Por um minuto, talvez, ele se sentou, uma caneta na boca, admirando a rica cor dourada acima da crista rochosa, e então sua atenção foi atraída pela pequena figura de um homem, tingida de preto, descendo pela encosta em sua direção. Era um sujeito baixinho, usava um chapéu alto e corria tão rápido que suas pernas pareciam cintilar.

– Outro daqueles tolos – disse o dr. Kemp. – Como aquele idiota que esbarrou em mim hoje de manhã ao virar na esquina, gritando "O Homem Visível chegando, senhor!" Não consigo imaginar o que acontece com essas pessoas. Parece que estamos no século XIII.

Ele se levantou, foi até a janela e olhou para a encosta sombria, e a pequena figura preta a descendo furiosa.

– Ele parece estar com uma pressa danada – disse Kemp –, mas não parece estar se dando bem. Se seus bolsos estivessem cheios de chumbo, ele não poderia correr mais desajeitadamente.

– Mais depressa, senhor – disse o Dr. Kemp.

Em outro momento, as casas mais altas que subiam a colina desde Burdock tinham ocultado a figura que corria. Ele ficou visível novamente por um instante, e novamente, e novamente, três vezes entre as três casas isoladas que se seguiam, e então o lance de casas o escondeu.

– Idiotas! – disse o Dr. Kemp, girando nos calcanhares e voltando para a escrivaninha.

Mas aqueles que viram o fugitivo mais de perto e perceberam o terror abjeto em seu rosto suado, estando eles mesmos na estrada aberta, não compartilhavam do desprezo do médico. Suas passadas martelavam o chão e, conforme corria, seu corpo sacudia como uma bolsa bem cheia de moedas que é jogada para lá e para cá. Não olhava nem para a direita nem para a esquerda, mas seus olhos dilatados olhavam diretamente colina abaixo, onde os lampiões estavam acesos, e as pessoas estavam aglomeradas na rua. E sua boca malformada se abria, e uma espuma pegajosa jazia em seus lábios, e sua respiração saía rouca e barulhenta. Todos pelos quais ele passou pararam e começaram a olhar para cima e para baixo da estrada, e interrogando um ao outro, aflitos, qual seria o motivo de sua pressa.

Em seguida, no alto da colina, um cachorro brincando na estrada uivou e correu para baixo de um portão, e enquanto eles ainda se perguntavam algo... um vento... som de passadassoavam como uma respiração ofegante, apressada.

Pessoas gritaram. Pessoas saltaram da calçada: e algo espalhou-se em gritos, espalhou-se por instinto, colina abaixo. Eles gritavam na rua antes que Marvel estivesse no meio da colina. Todos se trancavam em casa e batiam com violência as portas atrás deles, à medida que a notícia se espalhava. Ele escutou e deu uma última arrancada desesperada. O medo andava a passos largos, avançou à sua frente e, em um instante, tomou a cidade.

– O Homem Invisível está chegando! O Homem Invisível!

NO "JOLLY CRICKETERS"

O "Jolly Cricketers" fica no sopé da colina, onde as linhas de bonde começam. O *barman* apoiou seus braços gordos e vermelhos no balcão e conversou sobre cavalos com um cocheiro anêmico, enquanto um homem de barba negra e vestido de cinza partia biscoitos e queijo, bebia Burton e conversava em "americano" com um policial de folga.

– Que gritaria é essa?! – disse o cocheiro anêmico, mudando de assunto, tentando ver a colina acima da suja cortina amarela na janela inferior da hospedaria. Alguém passou correndo lá fora.

– Fogo, talvez – disse o *barman*.

Passos se aproximaram, correndo pesadamente, a porta foi aberta com violência, e Marvel, choroso e desarrumado, sem chapéu, o pescoço do casaco rasgado, entrou apressado, fez uma volta convulsiva e tentou fechar a porta. Ela foi mantida meio aberta por uma correia presa ao batente.

– Chegando! – ele berrou, sua voz estridente de terror. – Ele está vindo. O Homem Invisível! Está atrás de mim! Pelo amor de Deus! Socorro!

– Fechem as portas – disse o policial. – Quem está vindo? O que é esse barulho? – Ele foi até a porta, soltou a correia e a porta bateu com força. O americano fechou a outra porta.

– Me escondam – disse Marvel, cambaleando e chorando, mas ainda segurando os livros. – Me escondam. Tranquem-me na... em algum lugar. Estou dizendo que ele está atrás de mim. Eu tentei deixá-lo. Ele disse que me mataria, e vai matar.

– Você está seguro – disse o homem de barba negra. – A porta está fechada. O que está acontecendo?

– Me escondam – disse Marvel, e gritou alto quando um golpe, de repente, fez a porta fechada tremer e foi seguido por uma batida apressada e um grito do lado de fora.

– Olá – gritou o policial –, quem está aí?

Marvel começou a se jogar freneticamente em painéis das paredes que pareciam portas.

– Ele vai me matar! Ele tem uma faca ou algo assim. Pelo amor de Deus!

– Por aqui – disse o *barman*. – Venha aqui. – E levantou a aba basculante do bar.

O sr. Marvel correu para trás do bar, enquanto as chamadas do lado de fora eram repetidas.

– Não abram a porta – ele gritou. – Por favor, não abram a porta. Onde devo me esconder?

– Este é o Homem Invisível, então? – perguntou o homem de barba negra, com uma mão para trás. – Acho que já era hora de o vermos.

A janela da taberna foi subitamente despedaçada, e o que se ouviu foi gritaria e correria de um lado para o outro na rua. O policial estava de pé em uma banqueta olhando para fora, espichando para ver quem estava na porta. Ele se abaixou com as sobrancelhas levantadas.

– É ele – confirmou.

O *barman* estava na frente da porta de um cômodo nos fundos do bar, que agora estava trancada com o sr. Marvel, fitou a janela despedaçada e se aproximou dos outros dois homens.

De repente, tudo ficou quieto.

– Eu gostaria de ter meu cassetete agora– disse o policial, indo irresolutamente para a porta. – Uma vez que abrirmos, ele entra. Não há como detê-lo.

– Não tenha pressa com essa porta – o cocheiro anêmico falou, ansioso.

– Puxe os ferrolhos – disse o homem de barba negra –, e se ele vier... – Ele mostrou um revólver na sua mão.

– Não pode fazer isso – disse o policial. – É assassinato.

– Eu sei em que país estou – disse o homem de barba. – Vou acertar nas pernas dele. Puxe os ferrolhos.

– Não com aquela coisa piscando atrás de mim – disse o *barman*, espichando sobre a cortina para tentar ver.

– Muito bem – disse o homem de barba negra e, abaixando-se, revólver pronto, ele mesmo puxou-os. *Barman*, cocheiro e policial se afrontaram.

– Entre – disse o homem barbudo em voz baixa, recuando e encarando as portas destrancadas com a pistola atrás dele.

Ninguém entrou, a porta permaneceu fechada. Cinco minutos depois, quando um segundo cocheiro, com cautela, espiou por ela, eles ainda estavam esperando, e um rosto ansioso espreitou pelo saguão do bar e explicou.

– Todas as portas da casa estão fechadas? – perguntou Marvel. – Ele está andando por aí, rondando. Ele é tão astuto quanto o diabo.

– Bom Deus! – disse o *barman* corpulento. – A porta dos fundos! Fiquem de olho nas portas! Estou falando...

Ele olhou em volta, impotente. A porta do saguão do bar bateu violentamente e eles ouviram a chave girar.

– Há a porta do quintal e a porta do cômodo. A porta do quintal... Ele correu para fora do bar.

Em um minuto, reapareceu com uma navalha em sua mão.

– A porta do quintal estava aberta! – constatou, de queixo caído.

– Ele pode estar na casa agora! – disse o primeiro cocheiro.

– Ele não está na cozinha – disse o *barman*. – Há duas mulheres lá, e eu apunhalei cada centímetro com este pequeno cortador de carne. E elas acham que ele não entrou. Elas não perceberam nada...

– Você a fechou? – perguntou o primeiro cocheiro.

– Não nasci ontem – disse o *barman*.

O homem de barba guardou seu revólver. E, assim que ele fez isso, a basculante do bar foi fechada e o ferrolho trancado, e então, com um baque tremendo, a trava da porta estalou e a porta do cômodo reservado se abriu. Eles ouviram Marvel guinchar como uma lebre capturada, e logo estavam pulando por cima do bar em seu socorro. O revólver do homem barbudo disparou e o espelho na parte de trás do saguão se estilhaçou e veio abaixo tilintando.

Quando o *barman* entrou na sala, ele viu Marvel curiosamente amarrotado e lutando contra a porta que dava para o quintal e a cozinha. A porta se abriu enquanto o *barman* hesitava, e Marvel foi arrastado para a cozinha. Houve um grito e um barulho de panelas. Marvel, de cabeça baixae arrastando-se para trás obstinadamente, foi forçado para a porta da cozinha e os ferrolhos foram tirados.

Então o policial, que estava tentando passar pelo *barman*, entrou correndo, seguido por um dos cocheiros, agarrou o pulso da mão invisível que enforcava Marvel, foi atingido no rosto e saiu cambaleando para trás. A porta se abriu, e Marvel fez um esforço frenético para conseguir um abrigo atrás dela. Então, o cocheiro prendeu algo.

– Eu o peguei – disse o cocheiro. As mãos vermelhas do *barman* vieram arranhando no invisível. – Aqui está ele – disse o *barman*.

O sr. Marvel, libertado, de repente caiu no chão e fez uma tentativa de rastejar atrás das pernas dos lutadores. A luta agitou-se até a porta. A voz do Homem Invisível foi ouvida pela primeira vez, uivando agudamente, quando o policial pisou em seu pé. Então, ele deu um grito intenso e seus punhos acertavam o ar como malhos[8]. De repente, o cocheiro deu um berro e se curvou, tinha levado um chute abaixo do diafragma. A porta da cozinha para o saguão do bar bateu e cobriu o retiro do sr. Marvel. Os homens na cozinha viram-se agarrando e lutando com o ar vazio.

– Para onde foi ele? – gritou o barbudo. – Saiu?

– Por aqui – disse o policial, entrando no pátio e parando.

Um pedaço de azulejo passou a toda a velocidade por sua cabeça e despedaçou-se entre a louça na mesa da cozinha.

– Eu vou mostrar a ele – gritou o homem de barba preta e, de repente, um tambor de aço brilhou sobre o ombro do policial, cinco balas seguiram rumo ao crepúsculo de onde o azulejo tinha vindo. Enquanto disparava, o homem de barba movia sua mão em uma curva horizontal, de modo que seus tiros irradiavam para o pátio estreito como raios de uma roda.

Seguiu-se um silêncio.

– Cinco cartuchos – disse o homem de barba preta. – Assim não tem como errar. Quatro ases e um coringa. Alguém pegue uma lanterna, e venham e sintam seu corpo.

8 Espécie de martelo grande e pesado usado por ferreiros. [N. R.]

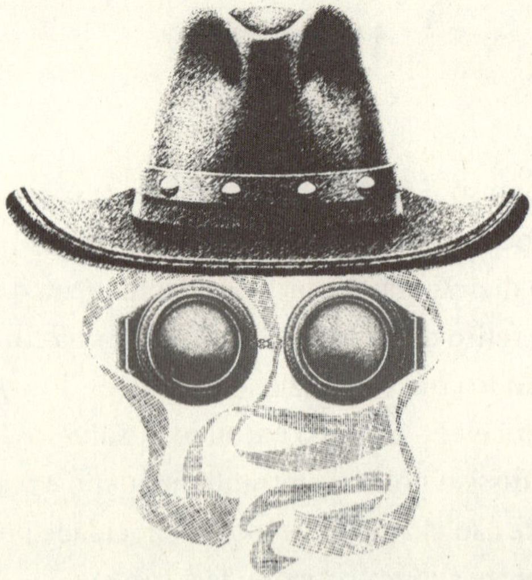

O VISITANTE DO DR. KEMP

O dr. Kemp ainda estava escrevendo em seu escritório até que os tiros o interromperam. Bam, bam, bam, vieram um após o outro.

– Nossa! – disse o dr. Kemp, colocando sua caneta na boca novamente e ouvindo. – Quem está disparando revólveres em Burdock? O que os idiotas fazem agora?

Foi até a janela sul, abriu-a, e se debruçando para fora, olhou fixamente para a rede de janelas, arandelas de lampiões a gás e lojas, com seus vãos escuros de telhado e quintal que formavam a cidade à noite.

– Parece uma multidão descendo a colina – disse ele – pelo "Jolly Cricketers" – e continuou assistindo.

Dali, seus olhos vagaram da cidade para longe, onde as luzes dos navios brilhavam, e o píer reluzia: um pequeno pavilhão iluminado e facetado, como uma gema de luz amarela. A lua, em seu primeiro quarto, pairava sobre a colina a oeste, e as estrelas estavam claras e quase tropicalmente brilhantes.

Após cinco minutos, durante os quais sua mente havia viajado em uma especulação remota das condições sociais do futuro, perdendo-se finalmente com a dimensão do tempo, o dr. Kemp despertou com um suspiro, abaixou a janela novamente e voltou para sua escrivaninha.

Deve ter passado cerca de uma hora quando a campainha da porta da frente tocou. Ele escrevera relaxadamente, com intervalos de abstração, desde os tiros. Ficou sentado, ouvindo. Escutou a criada atender a porta e esperou por seus pés na escadaria, mas ela não veio.

– O que será que foi isso? – perguntou-se o dr. Kemp.

Tentou retomar seu trabalho, não conseguiu, levantou-se, desceu as escadas do seu escritório para o patamar e, do parapeito, tocou a sineta e chamou pela criada que apareceu no *hall* abaixo.

– Era uma carta? – perguntou.

– Apenas alguém que tocou a campainha e fugiu, senhor – respondeu ela.

– Estou inquieto esta noite – falou para si mesmo. Voltou ao escritório e, desta vez, atacou resolutamente seu trabalho. Em pouco tempo, estava trabalhando duro novamente, e os únicos sons na sala eram o tique-taque do relógio e a tênue estridência de sua pena correndo no centro do círculo de luz que seu abajur jogava sobre a mesa.

Às duas horas dr. Kemp terminou seu trabalho daquela noite. Levantou-se, bocejou e desceu as escadas para a cama. Já havia tirado o paletó e o colete quando percebeu que estava com sede. Pegou uma vela e foi até a sala de jantar em busca de um sifão[9] e uísque.

As atividades científicas do dr. Kemp fizeram dele um homem muito observador e, ao atravessar o *hall* novamente, notou uma mancha escura no piso de linóleo perto do tapete ao pé da escada. Subiu os degraus e, de repente, lhe ocorreu perguntar-se o que poderia ser a mancha no piso. Aparentemente, algum elemento subconsciente estava em ação. De qualquer forma, voltou-se, ainda carregando suas coisas, foi até o *hall*, largou o sifão e o uísque e, curvando-se, tocou a mancha. Sem nenhuma grande surpresa, descobriu que tinha a viscosidade e a cor de sangue seco.

Pegou suas coisas novamente e voltou para o andar de cima, olhando em volta e tentando explicar a mancha de sangue. No patamar, viu algo e parou espantado. A maçaneta da porta do seu quarto estava manchada de sangue.

---

9 Tipo de garrafa com um dispositivo que faz jorrar a água gasosa ou o líquido sob pressão nela contido – Dicionário Michaelis. (N. E.)

Olhou para sua própria mão, que estava bastante limpa. Então, lembrou-se de que a porta do seu quarto já estava aberta quando desceu do escritório e que, consequentemente, não havia tocado na maçaneta. Entrou no quarto, com o rosto bastante calmo, talvez um pouco mais resoluto que o normal. Seu olhar, vagando inquisitivamente, caiu sobre a cama. Sobre a colcha, uma sujeira de sangue e o lençol havia sido rasgado. Não tinha notado isso antes, porque havia caminhado direto para a penteadeira. Do outro lado, as roupas de cama estavam amassadas, como se alguém tivesse sentado ali recentemente.

Então, teve uma impressão estranha de ter ouvido uma voz baixa dizer: "Deus do céu! Kemp!"; porém, o dr. Kemp não acreditava em vozes.

Ele ficou olhando os lençóis caídos. Aquilo era realmente uma voz? Olhou em volta novamente, mas não notou nada além do leito desordenado e manchado de sangue. Então, escutou distintamente um movimento pelo quarto, perto do lavatório. Todos os homens, por mais instruídos que sejam, mantêm alguns pressentimentos supersticiosos. A sensação que é chamada "estranha" o pegou. Fechou a porta do quarto, foi até a penteadeira e largou ali suas coisas. De repente, com um sobressalto, percebeu um curativo feito de linho, enrolado e manchado de sangue, pendurado no meio do ar, entre ele e o lavatório.

Olhou para aquilo com espanto. Era um curativo vazio, um curativo muito bem-feito, mas inteiramente vazio. Ele teria avançado para agarrá-lo, mas um toque o deteve e uma voz falou bem perto dele.

– Kemp! – disse a voz.

– Como? – disse Kemp, boquiaberto.

– Mantenha a calma – disse a voz. – Eu sou um Homem Invisível.

Kemp não respondeu por um tempo, simplesmente olhou para o curativo.

– Homem Invisível – ele falou.

– Eu sou um Homem Invisível – repetiu a voz.

A história que havia se dado ao trabalho de ridicularizar naquela mesma manhã correu pelo cérebro de Kemp, que parecia não ter ficado muito assustado ou muito surpreso no momento. A compreensão só veio depois.

– Eu pensei que fosse tudo mentira – disse. O pensamento principal em sua mente foram os argumentos reiterados da manhã. – Você está com um curativo? – ele perguntou.

– Sim – disse o Homem Invisível.

– Oh! – exclamou Kemp e, então, se levantou. – Digo... – falou. – Mas isso não faz sentido. É algum truque.

Deu um passo à frente repentinamente, e sua mão, estendida em direção ao curativo, encontrou dedos invisíveis.

Kemp recuou com o toque e sua cor mudou.

– Mantenha-se firme, Kemp, pelo amor de Deus! Eu quero muito ajuda. Pare!

A mão agarrou seu braço. Ele a atacou.

– Kemp! – gritou a voz. – Kemp! Mantenha-se firme! – e o aperto aumentou.

Um desejo frenético de se libertar tomou posse de Kemp. A mão do braço enfaixado agarrou seu ombro e, de maneira abrupta, o derrubou, e ele caiu para trás sobre a cama. Abriu sua boca para gritar, mas uma ponta do lençol foi enfiada entre seus dentes. O Homem Invisível o segurou com muita força, mas seus braços estavam livres e ele socou e tentou chutar selvagemente.

– Ouça a razão, sim? – disse o Homem Invisível, grudando nele apesar de uma pancada nas costelas. – Por Deus! Você está me enlouquecendo!

Por fim, o Homem Invisível gritou no ouvido de Kemp:

– Fique quieto, idiota!

Kemp lutou um pouco mais e depois ficou imóvel.

– Se você gritar, eu quebro a sua cara – disse o Homem Invisível, aliviando sua boca.

– Eu sou um Homem Invisível. Não é brincadeira, nem mágica. Eu realmente sou um Homem Invisível e quero sua ajuda. Não quero machucá-lo, mas se você se comportar como um selvagem frenético, serei obrigado a isso. Não se lembra de mim, Kemp? Griffin, da University College?

– Deixe-me levantar – disse Kemp. – Eu ficarei onde estou. E deixe-me sentar quieto por um minuto.

Ele sentou e apalpou o pescoço.

– Sou Griffin, da University College, e me fiz invisível. Eu sou apenas um homem comum, alguém que você conheceu, tornado invisível.

– Griffin? – disse Kemp.

– Griffin – respondeu a voz. – Um estudante mais jovem que você, quase um albino, com mais de um metro e oitenta de altura e largo, com um rosto rosado e branco e olhos vermelhos, que ganhou a medalha de química.

– Estou confuso – disse Kemp. – Meu cérebro está um caos. O que isso tem a ver com Griffin?

– Eu *sou* o Griffin.

Kemp pensou.

– Isto é horrível – ele falou. – Mas qual bruxaria deve acontecer para tornar um homem invisível?

– Não é bruxaria. É um processo, racional e inteligível o suficiente...

– É horrível! – disse Kemp. – Como é que...?

– É mesmo horrível. Mas estou ferido, com dor e cansado... Bom Deus! Kemp, você é um homem. Seja firme. Dê-me um pouco de comida e bebida e deixe-me sentar aqui.

Kemp olhou fixamente para o curativo que atravessava o quarto, depois viu uma cadeira de vime ser arrastada pelo chão e indo parar perto da cama. Ela rangeu, e o assento afundou pouco mais de meio centímetro. Ele esfregou seus olhos e sentiu seu pescoço novamente.

– Isso supera fantasmas – falou, com um riso exagerado.

– Assim é melhor. Graças a Deus, você está voltando a ser sensato!

– Ou bobo – disse Kemp, esfregando os olhos.

– Dê-me um pouco de uísque. Estou quase morto.

– Não me pareceu. Onde você está? Se eu me levantar, toparei com você? Pronto! Está tudo bem. Uísque? Aqui. Onde devo dar a você?

A cadeira rangeu e Kemp sentiu o copo ser tirado da sua mão. Ele soltou com um esforço; seu instinto era totalmente contra. O copo veio descansar cerca de cinquenta centímetros acima da borda frontal do assento da cadeira. Ele o encarou com infinita perplexidade.

– Isso é, deve ser, hipnose. Você deve ter sugerido que é invisível.

– Bobagem – disse a voz.

– É assustador.

– Ouça.

– Demonstrei conclusivamente esta manhã – começou Kemp –, que a invisibilidade...

– Não importa o que você demonstrou! Estou morrendo de fome – disse a voz –, e a noite é fria para um homem sem roupa.

– Comida? – disse Kemp.

O copo de uísque inclinou-se.

– Sim – disse o Homem Invisível batendo de leve nele. – Você tem um roupão?

Kemp exclamou alguma coisa em voz baixa. Andou até um guarda-roupa e tirou um roupão escarlate surrado.

– Isso serve? – ele perguntou.

O roupão foi tirado dele. Por um momento, peça ficou mole, pendurada no ar, esvoaçando de um jeito estranho; então, permaneceu em pé até ficar cheia e, apropriadamente, abotoou-se e sentou-se em sua cadeira.

– Calças, meias, chinelos seriam um conforto – disse o Invisível, bruscamente. E comida.

– Qualquer coisa. Mas esta é a situação mais insana em que eu já estive em na minha vida!

Abriu as gavetas para achar os artigos pedidos e desceu as escadas para saquear sua despensa. Voltou com algumas costeletas frias e pão, puxou uma mesa leve e colocou-os diante de seu hóspede.

– Esqueça as facas – disse o visitante, e uma costeleta pairou no meio do ar, sendo ruidosamente roída.

– Invisível! – disse Kemp e sentou-se em uma cadeira do quarto.

– Eu sempre gosto vestir algo antes de comer – disse o Homem Invisível, de boca cheia, comendo avidamente. – Uma mania extravagante!

– Suponho que o pulso esteja bom – disse Kemp.

– Confie em mim – respondeu o Homem Invisível.

– De todas as estranhas e impressionantes...

– Exatamente. Mas é estranho que eu tenha entrado em sua casa para conseguir meus curativos. Meu primeiro golpe de sorte! De qualquer forma, eu pretendia dormir aqui esta noite. Você vai ter que suportar isso! É um incômodo imundo, meu sangue aparecendo, não é? Formou uma grande mancha ali. Fica visível quando coagula, agora eu vejo. É apenas o tecido vivo que eu mudei, e apenas enquanto eu estiver vivo... Estou na casa há três horas.

– Mas como você fez isso? – começou Kemp, em um tom de exasperação. – Com os diabos! O negócio todo... é irracional do começo ao fim.

– É bastante razoável – disse o Homem Invisível. – Perfeitamente razoável.

Ele estendeu a mão e segurou a garrafa de uísque. Kemp contemplou aquele roupão devorador. Um raio de luz de vela, penetrando em um pedaço rasgado no ombro direito, formava um triângulo de luz sob as costelas esquerdas.

– Que tiros foram aqueles? – Kemp perguntou. – Como o tiroteio começou?

– Havia um homem muito idiota, uma espécie de aliado meu, maldito!, que tentou roubar meu dinheiro. E roubou.

– Ele é invisível também?

– Não.

– Então?

– Não posso comer mais um pouco antes de contar tudo isso? Estou com fome, com dor. E você quer que eu conte histórias!

Kemp levantou-se.

– Você não deu nenhum tiro? – ele perguntou.

– Eu não – disse o visitante. – Um idiota que eu nunca tinha visto disparou aleatoriamente. Muitos deles ficaram assustados. Todos ficaram assustados comigo. Malditos! Escuta, eu quero comer mais do que isso, Kemp.

– Vou ver o que há para comer lá embaixo – disse Kemp. – Não muito, temo.

Depois de comer, e foi uma refeição pesada, o Homem Invisível pediu um charuto. Mordeu a ponta ferozmente, antes que Kemp pudesse encontrar uma faca, e xingou quando a folha externa se soltou. Era estranho vê-lo fumando; sua boca e garganta, faringe e narinas, tornaram-se visíveis como uma espécie de fumaça rodopiando.

– Bendito prazer de fumar! – exclamou, soprando vigorosamente. – Tenho sorte de ter esbarrado em você, Kemp. Você precisa me ajudar. Imagine, trombar com você agora! Estou em uma enrascada diabólica; fiquei louco, eu acho. Passei por tanta coisa! Mas ainda vamos realizar grandes feitos. Deixe-me contar-lhe...

Ele se serviu de mais uísque e soda. Kemp levantou-se, olhou em volta e foi buscar um copo em seu quarto de hóspedes.

– É loucura, mas acho que posso beber.

– Você não mudou muito, Kemp, nestes 12 anos. Vocês, homens justos, não mudam. Frios e metódicos, após o primeiro colapso. E devo lhe dizer: vamos trabalhar juntos!

– Mas como você fez tudo isso? – questionou Kemp. – E como você ficou assim?

– Pelo amor de Deus, deixe-me fumar em paz por um tempo! E então começarei a lhe contar.

Contudo, a história não foi contada naquela noite. O pulso do Homem Invisível estava ficando dolorido; ele estava febril, exausto, e sua mente voltou a refletir sobre sua perseguição ladeira abaixo e a luta na hospedaria. Falou fragmentadamente sobre Marvel, fumou mais rápido, a raiva em sua voz crescia. Kemp tentou entender o que pôde.

– Ele tinha medo de mim, pude ver que ele tinha medo de mim – disse o Homem Invisível várias vezes. – Ele pretendia me passar a perna... Estava sempre pensando nisso! Que tolo eu fui!

– Covarde!

– Eu devia tê-lo matado!

– Onde conseguiu o dinheiro? – perguntou Kemp, abruptamente.

O Homem Invisível ficou em silêncio por um tempo.

– Não posso lhe contar esta noite – falou.

De repente, ele gemeu e inclinou-se para a frente, apoiando a cabeça invisível nas mãos invisíveis.

– Kemp – disse ele –, não durmo há quase três dias, exceto por alguns cochilos de pouco mais de uma hora. Preciso dormir logo.

– Bem, fique com meu quarto... fique neste quarto.

– Mas como posso dormir? Se eu dormir, ele vai fugir. Ai! Que importa?

– E o ferimento do tiro? – perguntou Kemp, subitamentetamente.

– Nada, arranhão e sangue. Meu Deus! Como eu quero dormir!

– Por que não dorme?

O Homem Invisível parecia estar se referindo a Kemp.

– Porque eu tenho um particular inconveniente de ser pego pelos meus colegas – disse ele, lentamente.

Kemp empalideceu.

– Tolo que eu sou! – disse o Homem Invisível, batendo na mesa habilmente. – Coloquei a ideia na sua cabeça.

O HOMEM INVISÍVEL DORME

Embora estivesse exausto e ferido, o Homem Invisível recusou-se a aceitar a palavra de Kemp de que sua liberdade deveria ser respeitada. Ele examinou as duas janelas do quarto, fechou as persianas e testou as esquadrias, para confirmar a afirmação de Kemp de que uma fuga por ali seria possível. Lá fora, a noite estava muito quieta e tranquila, e a lua banhava o vale. Em seguida, examinou as chaves do quarto e das duas portas do quarto de vestir, para se assegurar de que estas também poderiam ser garantia de liberdade. Finalmente, deu-se por satisfeito. Parou no tapete da lareira e Kemp ouviu o som de um bocejo.

– Sinto muito – disse o Homem Invisível –, por não contar esta noite tudo o que tenho feito. É que estou cansado. É esquisito, sem dúvida. É horrível! Mas acredite em mim, Kemp, apesar de seus argumentos desta manhã, é uma coisa bem possível. Eu fiz uma descoberta. Eu pretendia guardá-la para mim. Não consegui. Preciso ter um parceiro. E você... Nós podemos fazer essas coisas... Mas amanhã. Agora, Kemp, eu sinto que preciso dormir ou morrerei.

Kemp estava parado no meio do quarto olhando para a roupa sem cabeça.

– Suponho que devo deixar você – disse ele. É... inacreditável. Se mais três coisas como essa acontecessem, revirando todos os meus preconceitos, eu ficaria louco. Mas isto é real! Há mais alguma coisa que eu possa fazer para você?

– Apenas me deseje boa noite – disse Griffin.

– Boa noite – disse Kemp apertando uma mão invisível.

Ele andou de lado para a porta.

De repente, o roupão andou rapidamente em sua direção.

– Ouça! – disse o roupão. – Nenhuma tentativa de me prejudicar ou capturar! Ou...

O rosto de Kemp mudou um pouco.

– Pensei ter lhe dado minha palavra – disse ele.

Kemp fechou a porta suavemente atrás de si, e a chave foi virada imediatamente. Então, ainda com uma expressão de passivo espanto em seu rosto, ouviu passos rápidos até a porta do quarto de vestir, que também foi trancada. Kemp bateu a mão na testa.

– Estou sonhando? O mundo enlouqueceu... ou fui só eu?

Ele riu e colocou sua mão na porta trancada.

– Expulso do meu próprio quarto, por um flagrante absurdo! –Falou.

Andou até o topo da escadaria, virou-se e olhou para as portas trancadas.

– É fato – concluiu, sentindo com seus dedos o pescoço ligeiramente machucado. – Fato inegável! Mas...

Balançou a cabeça desesperadamente, virou-se e desceu as escadas. Acendeu o lampião da sala de jantar, pegou um charuto e começou a andar pela sala, fumando. De vez em quando, discutia consigo mesmo.

– Invisível! – exclamou. – Existe alguma coisa como um animal invisível?... No mar, sim. Milhares, milhões. Todas as larvas, todos os pequenos náuplios e tornarias, todas as coisas microscópicas, as águas-vivas. Nos oceanos, há mais coisas invisíveis do que visíveis!

Nunca pensei nisso antes. E nas lagoas também! Todas essas coisinhas da vida da lagoa: grãos de geleia translúcida e incolor! Mas no ar? Não!

– Não pode ser.

– Mas afinal, por que não?

– Se um homem fosse feito de vidro, ainda seria visível.

Sua meditação tornou-se profunda. O volume de três charutos ficou invisível ou tomou a forma de uma cinza branca sobre o tapete até que ele falasse novamente. Foi apenas uma exclamação. Ele se virou, saiu da sala, entrou no pequeno consultório e acendeu o gás. Era uma sala pequena, porque o dr. Kemp não vivia da Medicina, e nela estavam os jornais do dia. O jornal da manhã estava descuidadamente aberto e jogado de lado. Ele o pegou, virou a página e leu o relato de uma "História estranha de Iping" que o marinheiro de Port Stowe havia contado tão dolorosamente para o sr. Marvel. Kemp o leu rapidamente.

– Enfaixado! – exclamou Kemp. – Camuflado! Escondendo-se! – Ninguém parece estar ciente de seu infortúnio. Que diabo é o jogo dele?

Largou o jornal e seus olhos foram procurar algo.

– Ah! – falou e pegou a *St. James' Gazette*, que permanecia como chegara. – Agora vamos descobrir a verdade – disse o dr. Kemp.

Ele abriu o jornal; um par de colunas o afrontou. "Uma vila inteira em Sussex enlouquece" era o título.

– Deus do céu! – disse Kemp, lendo ansiosamente um relato inacreditável dos eventos da tarde anterior em Iping, que já haviam sido descritos. Na capa, a reportagem do jornal da manhã havia sido reproduzida.

Ele a releu: "Corri pelas ruas golpeando a direita e a esquerda. O inconsciente Jaffers. O sr. Huxter, com muita dor, ainda incapaz de descrever o que viu. Humilhação dolorosa, o pastor. Mulher adoesce com o terror! Janelas despedaçadas."

– Essa história extraordinária, provavelmente, é uma invenção. Boa demais para não imprimir, *cum grano*[10]!

Ele largou o jornal e ficou por um momento olhando para a frente, inexpressivo.

– Provavelmente uma invenção!

Pegou o jornal novamente e releu todo o negócio.

– Mas quando o vagabundo entra? Por que diabos ele estava perseguindo um vagabundo?

Sentou-se abruptamente no banco cirúrgico.

– Ele não é apenas invisível – falou –, é louco! Homicida!

Quando o alvorecer chegou para misturar sua claridade com a luz do lampião e a fumaça do charuto da sala de jantar, Kemp ainda estava andando de um lado para outro, tentando entender o inacreditável.

Estava muito agitado para dormir. Seus criados, descendo sonolentos, o encontraram, e estavam inclinados a pensar que o excesso de estudo havia lhe causado esse mal. Deu-lhes instruções extraordinárias, mas bastante explícitas, para servir café da manhã para dois no escritório do terraço e depois limitarem-se ao porão e ao térreo. Então, ele continuou andando pela sala de jantar até o jornal da manhã chegar. Este tinha muito a dizer e pouco a contar, além da confirmação da noite anterior, e um relato muito mal escrito de outro conto notável de Port Burdock. Isso deu a Kemp a essência dos acontecimentos no "Jolly Cricketers", e o nome de Marvel. "Ele me fez ficar com ele vinte e quatro horas" –, testemunhou Marvel. Alguns fatos menores foram adicionados à história de Iping, principalmente o corte do fio telegráfico da vila. Mas não havia nada para lançar luz à conexão entre o Homem Invisível e o vagabundo; o sr. Marvel não havia fornecido nenhuma informação sobre os três livros, tampouco

10 A expressão completa em latim é: "cum grano salis" ou "com um grão de sal", e diz respeito a algo que não deve ser levado a sério, que deve ser lido com desconfiança ou ceticismo. [N. T]

sobre o dinheiro com o qual estava envolvido. O tom incrédulo havia desaparecido e um bando de repórteres e investigadores já estava a trabalho elaborando o assunto.

Kemp leu cada fragmento da reportagem e mandou sua criada sair para comprar todos os jornais da manhã que pudesse. Devorou estes também.

– Ele é invisível! – Falou. – E parece que a raiva está crescendo para paranoia! As coisas que ele pode fazer! As coisas que ele pode fazer! E ele está lá em cima, livre como o ar. O que diabos devo fazer?

– Por exemplo, seria uma quebra de confiança se...? Não.

Ele foi para uma pequena mesa desarrumada no canto e começou a escrever um bilhete. Rasgou-o já meio escrito e escreveu outro, que leu e considerou. Então, pegou um envelope e o endereçou ao "Coronel Adye, Port Burdock".

O Homem Invisível acordou enquanto Kemp fazia isso. Acordou de mau humor, e Kemp, alerta a todos os sons, escutou seus pés de repente tamborilando apressados de um lado a outro no quarto acima. Em seguida, uma cadeira foi atirada e o copo sobre o lavatório foi quebrado. Kemp correu para o andar de cima e bateu ansiosamente na porta.

ALGUNS PRINCÍPIOS BÁSICOS

– Qual é o problema? – perguntou Kemp, quando o Homem Invisível o recebeu no quarto.

– Nada – foi a resposta.

– Que estranho! E esse barulho?

– Um acesso de fúria – disse o Homem Invisível. – Esqueci do meu braço; e ele está dolorido.

– Você parece suscetível a esse tipo de coisa.

– Sou.

Kemp atravessou a sala e catou os cacos de vidro.

– Todas as notícias são sobre você – Kemp falou, levantando-se com o vidro na mão –, tudo o que aconteceu em Iping e colina abaixo. O mundo tomou consciência desse cidadão invisível. Mas ninguém sabe que você está aqui.

O Homem Invisível xingou.

– O segredo foi descoberto. Pensei que ainda era um segredo. Não sei quais são seus planos, mas é claro que estou ansioso para ajudá-lo.

O Homem Invisível sentou-se na cama.

– O café da manhã está servido no andar de cima – disse Kemp, falando com a maior naturalidade possível, e contente ao ver seu estranho hóspede se levantar prontamente. Kemp mostrou o caminho pela escada estreita até o terraço.

– Antes de qualquer outra coisa – disse Kemp –, preciso entender um pouco mais sobre essa sua invisibilidade. – Ele se sentou, depois de uma olhada nervosa pela janela, com o ar de quem tem algo a falar. Suas dúvidas sobre a sanidade de todo o negócio brilharam e desapareceram novamente quando olhou para onde Griffin estava sentado à mesa do café da manhã: um roupão sem cabeça e sem mãos, limpando os lábios invisíveis em um guardanapo milagrosamente suspenso.

– É bastante simples, e bastante verossímil – disse Griffin, colocando o guardanapo de lado e apoiando a cabeça invisível em uma mão invisível.

– Sem dúvida, para você, mas... – Kemp riu.

– Bem, sim; para mim pareceu maravilhoso a princípio, sem dúvida. Mas agora, grandioso Deus!... Mas ainda vamos fazer grandes coisas. Tive os primeiros resultados em Chesilstowe.

– Chesilstowe?

– Eu fui para lá depois que deixei Londres. Você sabe que eu larguei a medicina e passei para a física? Bem, eu larguei. A luz me fascinava.

– Ah!

– Densidade óptica! O assunto todo é uma rede de enigmas, uma rede com soluções lampejando elusivamente. E com apenas vinte e dois anos e cheio de entusiasmo, eu falei: "Vou dedicar minha vida a isso. Vale a pena". Sabe quão tolos somos aos vinte e dois?

– Tolos naquela época ou tolos agora – disse Kemp.

– Como se o conhecimento pudesse trazer alguma satisfação para o homem! Mas resolvi trabalhar, e feito um escravo. E mal havia começado a trabalhar e pensar sobre o assunto, seis meses apenas, e a luz começou a surgir repentinamente desse emaranhado, de forma ofuscante! Descobri um princípio geral de pigmentos e refração, uma fórmula, uma expressão geométrica envolvendo quatro dimensões. Os tolos, homens comuns, e até matemáticos comuns, não sabem nada do que alguma expressão geral pode significar para o estudante de física molecular. Nos livros, os livros que o vagabundo escondeu, há maravilhas, milagres! Mas não era um método, era uma ideia que poderia levar a um método pelo qual seria possível, sem alterar nenhuma outra propriedade da matéria (exceto, em alguns casos, cores), diminuir o índice de refração de uma substância, sólida ou líquida, até igualá-lo ao do ar, no que diz respeito a todos os fins práticos.

– Ufa! – disse Kemp. – Isso é estranho. Mas ainda não entendi bem... Eu posso conceber que, dessa forma, você poderia danificar uma pedra preciosa, mas a invisibilidade pessoal é algo totalmente diferente.

– Precisamente – disse Griffin. – Mas considere, a visibilidade depende da ação dos corpos visíveis sobre a luz. Ou um corpo absorve a luz, ou a reflete ou refrata, ou faz todas essas coisas. Se nem reflete nem refrata nem absorve luz, não pode ser visível por si só. Você vê uma caixa vermelha opaca, por exemplo, porque a cor absorve parte da luz e reflete o restante, toda a parte vermelha da luz, para você. Se não absorvesse nenhuma parte específica da luz, mas refletisse tudo, então seria uma caixa branca brilhante. Prata! Uma caixa de diamante nem absorveria muita luz nem refletiria muito da superfície geral, mas apenas aqui e ali, onde as superfícies fossem favoráveis, a luz seria refletida e refratada, para que se consiga uma aparência brilhante de cintilantes reflexos e translucências, uma espécie de esqueleto de luz. Uma caixa de vidro não seria tão brilhante, nem tão claramente visível, como uma caixa de diamante porque haveria menos refração e reflexão. Está vendo? De certos pontos de vista, você veria claramente através dele. Alguns tipos de vidro seriam mais visíveis que outros, uma caixa de pedra de vidro seria mais brilhante que uma caixa de vidro comum. Uma caixa de vidro comum muito fino seria difícil de ver sob uma luz ruim, porque absorve quase nenhuma luz e refrata e reflete muito pouco. E se você colocar uma folha de vidro branco comum na água, ainda mais se você a colocar em um líquido mais denso que a água, ela desaparecerá quase completamente, porque a luz que passa da água para o vidro é apenas ligeiramente refratada ou refletida ou de fato afetada de alguma forma. É quase tão invisível quanto um jato de gás de carvão ou hidrogênio no ar. E precisamente pela mesma razão!

– Sim – disse Kemp –, isso é bastante evidente.

– E aqui está outro fato que você constatará ser verdade. Se uma folha de vidro é esmagada, Kemp, e transformada em pó, ela se torna muito mais visível enquanto está no ar; torna-se finalmente um pó branco opaco. Isso ocorre porque o pó multiplica as superfícies do vidro nas quais ocorrem refração e reflexão. Na folha de vidro, existem apenas duas superfícies; no pó, a luz é refletida ou refratada por cada grão que passa através dela, e muito pouco consegue passar pelo pó. Mas se o vidro de pó branco for colocado na água, desaparecerá imediatamente. O vidro pulverizado e a água têm quase o mesmo índice de refração; isto é, a luz sofre pouquíssima refração ou reflexão ao passar de um para a outra.

– Você torna o vidro invisível colocando-o em um líquido com quase o mesmo índice de refração; uma coisa transparente torna-se invisível se for colocada em qualquer meio com quase o mesmo índice de refração. E se você considerar apenas um segundo, verá também que o pó de vidro poderia desaparecer no ar se seu índice de refração pudesse ser igual ao do ar; porque não haveria refração ou reflexão quando a luz passasse do vidro para o ar.

– Sim, sim – disse Kemp. – Mas um homem não é de vidro pulverizado!

– Não – disse Griffin. – Ele é mais transparente!

– Bobagem!

– Isso vindo de um médico! Como alguém se esquece! Você já esqueceu sua física, em dez anos? Apenas pense em todas as coisas que são transparentes e parecem não ser. O papel, por exemplo, é constituído por fibras transparentes e é branco e opaco apenas pela mesma razão que um pó de vidro é branco e opaco. Lubrifique papel branco, encha os interstícios entre as partículas com óleo, para que não haja mais refração ou reflexão, exceto nas superfícies, e ele se tornará tão transparente quanto o vidro. E não apenas papel, mas fibra de algodão, fibra de linho, fibra de lã, fibra lenhosa e osso, Kemp, carne, Kemp, cabelo, Kemp, unhas, e nervos, Kemp; de fato, todos os tecidos de um homem, exceto o vermelho do seu sangue e o pigmento preto dos cabelos, são todos feitos de tecido transparente e incolor. Portanto, pouco basta para nos tornar visíveis um para o outro. Na maioria das vezes, as fibras de uma criatura viva não são mais opacas do que a água.

– Céus! – gritou Kemp. – É claro, é claro! Na última noite, eu estava pensando nas larvas do mar e em todas as águas-vivas!

– Agora você tem a mim! E tudo o que eu sabia e tinha em mente um ano depois de deixar Londres, seis anos atrás. Mas eu mantive isso apenas comigo. Tive que fazer meu trabalho com terríveis desvantagens. Oliver, meu professor, era um cientista sem escrúpulos, um jornalista por instinto, um ladrão de ideias; estava sempre se intrometendo! E você conhece o sistema desonesto do mundo científico. Eu simplesmente não podia publicar e deixá-lo compartilhar meu crédito. Continuei trabalhando; aproximei-me cada vez mais de transformar minha fórmula em um experimento, uma realidade. Não disse a ninguém, porque pretendia mostrar meu trabalho ao mundo com um efeito esmagador e me tornar famoso de maneira estrondosa. Dediquei-me à questão dos pigmentos para preencher certas lacunas. E, de repente, não por intenção, mas por acidente, fiz uma descoberta em fisiologia.

– Qual?

– Você sabe, a coloração vermelha do sangue pode se tornar branca, incolor, e permanecer com todas as funções que tem agora!

Kemp deu um incrédulo grito de espanto.

O Homem Invisível levantou-se e começou a andar pelo pequeno escritório.

– Você pode muito bem se espantar. Eu me lembro daquela noite. Era tarde da noite, durante o dia eu suportava os estudantes idiotas e de boca aberta, e eu trabalhava às vezes até o amanhecer. Tudo veio de repente, esplêndido e completo, à minha mente. Estava sozinho; o laboratório estava silencioso, com as luzes altas ardendo brilhante e silenciosamente. Estive sozinho em todos os meus grandes momentos. "É possível tornar transparente um animal ou um tecido! É possível torná-lo invisível! Tudo, exceto os pigmentos: eu poderia ser invisível!" pensei, de repente percebendo o que significava ser um albino com tal conhecimento. Foi deslumbrante. Deixei a filtragem que estava fazendo e fui olhar as estrelas pela grande janela. "Eu poderia ser invisível!" repeti. Fazer tal coisa seria transcender a magia. E contemplei, sem sombra de dúvida, uma visão magnífica de tudo o que a invisibilidade poderia significar para um homem: o mistério, o poder, a liberdade. Não vi nenhuma desvantagem. Apenas imagine! E eu, um instrutor de laboratório maltrapilho, assolado pela pobreza e isolado, ensinando idiotas em uma faculdade provinciana, poderia de repente me tornar... isso. Eu pergunto a você, Kemp, se você... Qualquer um, eu digo, teria se lançado sobre essa pesquisa? E trabalhei três anos, e todas as montanhas de dificuldade com que lidei mostraram outra em seu cume. Os infinitos detalhes! E a exasperação! Um professor, um professor da província, sempre bisbilhotando. "Quando você vai publicar este seu trabalho?" era sua pergunta eterna. E os estudantes, os recursos limitados! Eu tive três anos disso... E depois de três anos de sigilo e exasperação, descobri que era impossível concluí-la, impossível.

– Como? – perguntou Kemp.

– Dinheiro – disse o Homem Invisível, e voltou a olhar pela janela.

Ele se virou abruptamente e contou:

– Eu roubei o velho, roubei meu pai. Mas o dinheiro não era dele, e ele se matou com um tiro.

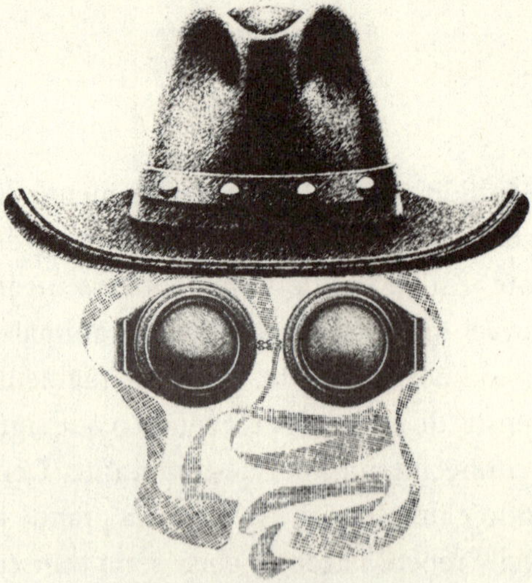

NA CASA DA GREAT PORTLAND STREET

Kemp ficou em silêncio por um momento, fitando a parte de trás da figura sem cabeça à janela. Então, tomado por um pensamento, levantou-se, pegou o braço do Homem Invisível e afastou-o daquele cenário.

– Você está cansado – falou –, e enquanto estou sentado, você anda por aí. Pegue minha cadeira.

Ele se colocou entre Griffin e a janela mais próxima.

Por um tempo, Griffin ficou em silêncio e depois retomou bruscamente:

– Eu já havia deixado o chalé de Chesilstowe – disse ele – quando isso aconteceu. Foi em dezembro passado. Eu havia alugado um quarto em Londres, grande e sem mobília, em uma grande estalagem mal gerida em um cortiço perto da Great Portland Street. O quarto logo ficou cheio dos equipamentos que eu havia comprado com o dinheiro do meu pai; o trabalho prosseguia de forma regular e bem-sucedida, aproximando-se do fim. Eu era como um homem emergindo de um matagal, e de repente vem uma tragédia sem sentido. Fui enterrá-lo. Minha mente ainda estava nessa pesquisa e não levantei um dedo para salvar seu caráter. Lembro-me do funeral, do carro fúnebre barato, da cerimônia breve, da encosta que ventava coberta de gelo e do seu velho amigo de faculdade, que leu sobre ele no velório; um velho maltrapilho, negro e curvado, com um resfriado lamuriante.

– Lembro-me de caminhar de volta para a casa vazia, pelo lugar que outrora fora uma vila e agora era demarcado e modificado por construtores amadores à semelhança de uma cidade feia.

Por todos os lados, as estradas corriam para os campos profanados e terminavam em pilhas de escombros e erva daninha molhada. Lembro-me de mim mesmo como uma figura escura e esquelética, seguindo ao longo da calçada escorregadia e reluzente, e a estranha sensação de distanciamento que eu sentia da respeitabilidade miserável do sórdido comércio do lugar.

– Não senti nem um pouco de pena do meu pai. Ele me pareceu ser vítima de seu próprio sentimentalismo tolo. A hipocrisia do momento exigia a minha presença no funeral dele, mas não era realmente da minha conta.

– Mas, ao longo da High Street, minha antiga vida voltou a mim por um momento, pois encontrei a garota que conhecia desde os dez anos. Nossos olhos se encontraram.

– Algo me fez voltar e falar com ela. Ela era uma pessoa muito comum.

– Tudo foi como um sonho, aquela visita aos velhos lugares. Então, não senti que estava sozinho, que eu tinha vindo do mundo para um lugar desolado. Sabia da minha indiferença, mas atribuí-a à inanidade geral das coisas. Voltar a entrar no meu quarto parecia o resgate da realidade. Havia as coisas que eu conhecia e amava. Lá estavam os aparelhos, os experimentos organizados e à espera. E agora quase não havia mais dificuldade, além do planejamento dos detalhes.

– Vou lhe contar, Kemp, mais cedo ou mais tarde, todos os processos complicados. Não precisamos entrar nisso agora. Na maior parte, salvando certas lacunas que escolhi lembrar, elas estão escritas em cifra naqueles livros que aquele vagabundo escondeu. Nós devemos caçá-lo. Temos que pegar aqueles livros novamente. Mas a fase essencial era colocar o objeto transparente, cujo índice de refração deveria ser diminuído entre dois centros radiantes de uma espécie de vibração etérea, sobre a qual depois eu lhe falarei mais completamente. Não, não aquelas vibrações de Röntgen, essas a que me refiro, até onde eu saiba, ainda não foram descritas. Ainda que elas sejam muito óbvias. Eu precisava de dois pequenos dínamos, os quais funcionavam com um motor a gás barato. Meu primeiro experimento foi com um pouco de tecido de lã branca. Era a coisa mais estranha do mundo vê-lo no lampejo dos clarões, macio e branco, e depois vê-lo desvanecer como uma coroa de fumaça e desaparecer.

– Eu mal podia acreditar que tinha feito isso. Coloquei minha mão no vazio, e lá estava a coisa, mais sólida do que nunca. Eu o toquei desajeitadamente e o atirei no chão. Tive um pequeno problema para encontrá-lo novamente.

– E então veio uma experiência curiosa. Ouvi um miado atrás de mim e, virando-me, vi um gato branco e magro, muito sujo, na cobertura da cisterna do lado de fora da janela. Um pensamento veio à minha mente. "Tudo pronto para você", falei; fui até a janela, abri-a e chamei suavemente. Ele entrou, ronronando – o pobre animal estava morrendo de fome – e eu lhe dei um pouco de leite. Toda a minha comida estava em um armário no canto do quarto. Depois disso, ele cheirou pelo quarto, evidentemente com a ideia de se sentir em casa. O pano invisível o aborreceu um pouco; você deveria tê-lo visto cuspir nele! Mas eu o deixei confortável no travesseiro da minha cama. E lhe dei manteiga para que se lavasse.

– E você o transformou?

– Eu o transformei. Mas dar drogas a um gato não é brincadeira, Kemp! E a transformação falhou.

– Falhou!

– Em dois aspectos. Foram as garras e o material do pigmento, o que é?... na parte de trás do olho em um gato. Sabe?

– *Tapetum.*

– Sim, o *tapetum*. Não funcionou. Depois que eu dei a substância para branquear o sangue e fazer outras coisas com ele, dei ópio ao animal, e o coloquei com o travesseiro em que estava dormindo no aparelho. E depois que todo o resto desvaneceu e desapareceu, lá restaram dois pequenos fantasmas dos olhos dele.

– Estranho!

– Não consigo explicar. Ele estava enfaixado e preso, é claro – então, eu o tinha em segurança; mas ele acordou enquanto ainda estava confuso, e miou tristemente, e alguém veio bater. Era uma velha do andar de baixo, que suspeitava que eu vivissecava –, uma criatura encharcada de bebida, com apenas um gato branco para cuidar em todo o mundo. Peguei um pouco de clorofórmio, apliquei-o e atendi à porta. "Eu ouvi um gato?" ela perguntou. "Meu gato?", "Aqui não", eu disse, educadamente. Ela ficou um pouco incerta e tentou espiar por trás de mim, dentro do quarto; estranho o suficiente para ela, sem dúvida: paredes nuas, janelas sem contenção, cama de rodízio, com o motor a gasolina vibrando, a ebulição dos pontos radiantes, e aquela levesensação desagradável de clorofórmio no ar. Ela ficou finalmente satisfeita e foi embora de novo.

– Quanto tempo levou? – perguntou Kemp.

– Três ou quatro horas, o gato. Os ossos, os tendões e a gordura foram os últimos a desaparecer, e as pontas dos pelos coloridos. E, como eu disse, a parte de trás do olho, material resistente e iridescente, não desapareceria de todo.

– Era noite lá fora, muito antes de o trabalho terminar e nada mais se via, exceto os olhos tênues e as garras. Parei o motor a gás, apalpei e acariciei o animal, que ainda estava insensível, e depois, cansado, deixei-o dormindo no travesseiro invisível e fui para a cama. Achei difícil dormir. Permaneci acordado pensando em coisas vazias e sem objetivo, recapitulando o experimento várias vezes, ou sonhando febrilmente com as coisas ficando confusas e desaparecendo sobre mim, até que tudo, o chão em que eu estava, desapareceu, e então cheguei àquele pesadelo doentio de que eu estava caindo. Por volta das duas, o gato começou a miar pelo quarto. Tentei silenciá-lo conversando com ele e depois decidi expulsá-lo. Lembro-me do choque que tive ao atingir uma luz: havia apenas os redondos olhos verdes brilhando, e nada em volta deles. Eu teria lhe dado leite, mas não tinha. Ele não ficava quieto, apenas se sentou e miou na porta. Tentei pegá-lo, com a ideia de colocá-lo para fora da janela, mas ele não podia ser capturado, e desapareceu. Logo começou a miar em diferentes partes do quarto. Por fim, abri a janela e fiz uma agitação. Suponho que finalmente saiu. Eu nunca mais o vi.

– Então, Deus sabe o porquê, eu fiquei pensando no funeral de meu pai novamente e na encosta sombria e que ventava, até o dia chegar. Descobri que dormir era inútil e, trancando a porta atrás de mim, perambulei pelas ruas da manhã.

– Você não quer dizer que há um gato invisível à solta! – disse Kemp.

– Se não estiver morto – disse o Homem Invisível. – Por que não?

– Por que não? – disse Kemp. – Eu não quis interromper.

– Muito provavelmente ele foi morto – disse o Homem Invisível. – Estava vivo quatro dias depois, eu sei, e debaixo de uma grade na Great Titchfield Street; porque vi uma multidão ao redor do lugar, tentando ver de onde o miado vinha.

Griffin ficou em silêncio por quase um minuto. Então, retomou bruscamente:

– Lembro-me muito nitidamente daquela manhã antes da mudança. Devo ter subido a Great Portland Street. Recordo-me do quartel na Albany Street, dos soldados a cavalo que saíam e de finalmente encontrar o cume da Primrose Hill. Era um dia ensolarado de janeiro, um daqueles dias ensolarados e gelados que vieram antes da neve este ano. Meu cérebro cansado tentou formular a posição, traçar um plano de ação.

– Estava surpreso ao descobrir, agora que meu prêmio estava a meu alcance, quão inconclusiva sua realização parecia. Na verdade, eu estava preparado; o intenso estresse de quase quatro anos de trabalho contínuo me deixou incapaz de qualquer força de sentimento. Eu estava apático e tentei, em vão, recuperar o entusiasmo de minhas primeiras investigações, a paixão da descoberta que havia me possibilitado compreender até a queda dos cabelos grisalhos de meu pai. Nada parecia importar. Vi claramente que esse era um ânimo passageiro, devido ao excesso de trabalho e à carência de sono, e que, por drogas ou por descanso, seria possível recuperar minhas energias.

– Tudo em que eu conseguia pensar claramente era que a coisa tinha que ser realizada; a ideia fixa ainda me dominava. E tinha de ser logo, porque o meu dinheiro estava quase esgotado. Olhei ao meu redor na encosta, com crianças brincando e meninas assistindo-as, e tentei pensar em todas as vantagens fantásticas que um homem invisível teria no mundo. Depois de um tempo, eu me arrastei para casa, peguei um pouco de comida e uma forte dose de estricnina e fui dormir com as roupas do dia na minha cama desarrumada. A estricnina é um tônico grandioso, Kemp, para tirar a fraqueza de um homem.

– É o diabo – disse Kemp. – É o paleolítico em uma garrafa.

– Acordei completamente revigorado e bastante irritado. Sabe?

– Eu conheço a coisa.

– E havia alguém batendo na porta. Era o meu locador com ameaças e perguntas, um velho judeu polonês com um longo casaco cinza e chinelos engordurados. Eu torturara um gato durante a noite, ele tinha certeza... A língua da velha estivera ocupada. Ele insistiu em saber tudo sobre isso. As leis neste país contra a vivissecção eram muito severas e ele poderia ser responsabilizado. Eu neguei o gato. Então, a vibração do pequeno motor a gás pôde ser sentida por toda a casa, ele falou. Isso era verdade, certamente. O velho me cercou para dentro do quarto, espiando por cima dos óculos de prata alemã, e um súbito medo de que ele pudesse levar algo do meu segredo me veio à mente. Tentei me manter entre ele e o aparelho de concentração que eu havia arranjado, e isso só o deixou mais curioso. O que eu estava fazendo? Por que eu estava sempre sozinho e misterioso? Isso era legal? Isso era perigoso? Não paguei nada além do aluguel habitual. A casa dele sempre fora muito respeitável, em uma vizinhança de má reputação. De repente, perdi a paciência e o mandei sair. Ele começou a protestar, a tagarelar pelo seu direito de entrada. Em um momento, eu o peguei pelo colarinho; algo rasgou, e ele saiu girando para o corredor. Bati e tranquei a porta e me sentei tremendo.

– O velho fez um alvoroço lá fora, o que eu desconsiderei; depois de um tempo, ele foi embora.

– Mas isso trouxe motivos para uma crise. Eu não sabia o que ele faria, nem mesmo o que tinha o poder de fazer. Mudar para apartamentos novos significaria atraso, e eu não podia pagar por isso; no total, eu mal tinha vinte libras perdidas no mundo, a maior parte em um banco. Desaparecer! Era irresistível. Então, haveria um inquérito, o roubo do meu quarto.

– Ao pensar na possibilidade de meu trabalho ser exposto ou interrompido em seu próprio clímax, me tornou muito zangado e enérgico. Corri com meus três livros de anotações, meu talão de cheques (o vagabundo os tem agora), e os enviei do correio mais próximo para uma casa de pedidos de cartas e encomendas na Great Portland Street. Tentei sair sem fazer barulho. Ao entrar, encontrei o locador subindo silenciosamente as escadas; ele ouviu a porta fechar, suponho. Você teria rido ao vê-lo pular de lado no patamar enquanto eu vinha atrás dele. Ele olhou ferozmente para mim na hora em que eu passava por ele, e fiz a casa estremecer com a batida violenta da minha porta. Eu o escutei vir ao meu andar arrastando os pés, hesitar e descer. Comecei a trabalhar em meus preparativos imediatamente.

– Tudo foi feito naquele fim de tarde e naquela noite. Enquanto eu ainda estava sentado sob a doentia e sonolenta influência dos remédios que descolorem o sangue, lá veio uma repetida batida na porta. Cessou. Os passos foram embora e voltaram, e as batidas foram retomadas. Houve uma tentativa de empurrar algo debaixo da porta, um papel azul. Então, em um acesso de irritação, levantei-me e escancarei a porta bem aberta. – O que é agora, então? – eu perguntei.

– Era o locador, com um aviso de despejo ou algo assim. Ele o estendeu para mim, viu algo estranho em minhas mãos, eu suponho, e levantou seus olhos para o meu rosto.

– Por um momento, ele ficou boquiaberto. Então, deu uma espécie de grito desarticulado, derrubou a vela e a intimação, e foi cambaleando pelo corredor escuro em direção às escadas. Fechei a porta, tranquei-a e fui até o espelho. Logo entendi seu terror... Meu rosto estava branco como mármore.

– Foi tudo muito horrível. Eu não esperava o sofrimento. Uma noite de torturante angústia, náusea e desmaios. Batia os dentes, embora minha pele estivesse em chamas, todo o meu corpo em chamas; mas eu deitei lá como em uma morte cruel. Entendi, enfim, por que o gato tinha uivado até eu usar o clorofórmio. Sorte que eu morava sozinho e abandonado em meu quarto. Houve momentos em que solucei, gemi e conversei. Mas permaneci firme... Fiquei inconsciente e acordei lânguido na escuridão.

– A dor havia passado. Eu pensei que estava me matando e não me importei. Jamais esquecerei aquele amanhecer e o estranho horror de ver que minhas mãos haviam se tornado como vidro opaco, e observando-as ficarem mais nítidas e finas com o passar do dia, até que, enfim, eu pudesse ver a desordem doentia do meu quarto através delas, embora eu tivesse fechado minhas pálpebras transparentes. Meus membros tornaram-se vítreos, os ossos e as artérias desvaneceram, desapareceram, e os pequenos nervos brancos foram os últimos. Cerrei os dentes e fiquei lá até o final. Por fim, sobraram apenas as pontas mortas das unhas, pálidas e brancas, e a mancha marrom de algum ácido sobre meus dedos.

– Eu me esforcei. No começo, eu era tão incapaz quanto uma criança de colo, pisando sobre membros que não podia ver. Estava fraco e com muita fome. Fui olhar para nada no meu espelho de barbear, para nada, exceto onde um pigmento atenuado ainda permanecia atrás da retina dos meus olhos, mais fraco que a névoa. Tive que me agarrar à mesa e pressionar minha testa contra o espelho.

– E foi apenas por um esforço frenético de vontade que me arrastei de volta ao aparelho e concluí a transformação.

– Dormi durante o fim da manhã, puxando o lençol sobre os olhos para apagar a luz e, por volta do meio dia, fui despertado novamente por uma batida. Minha força havia voltado. Sentei-me e ouvi um sussurro. Pulei de pé e, o mais silenciosamente possível, comecei a desligar as conexões do meu aparelho e distribuí-la pelo quarto, a fim de destruir as sugestões de seu arranjo. Logo as batidas foram retomadas e vozes chamaram, primeiro a de meu locador e depois outras duas. Para ganhar tempo, eu respondi. O pano e o travesseiro invisíveis vieram à mão e eu abri a janela e os joguei na tampa da cisterna. Enquanto abria a janela, um forte estrondo veio da porta. Alguém havia se incumbido de quebrar a fechadura. Mas os fortes ferrolhos que eu havia apertado alguns dias antes o detiveram. Isso me sobressaltou, me deixou com raiva. Comecei a tremer e fazer as coisas apressadamente.

– Atirei um pouco de papel solto, palha, papel de embalagem e coisas assim no meio do quarto e liguei o gás. Golpes pesados começaram a atingir na porta. Não encontrei os fósforos. Soquei a parede com raiva. Desliguei o gás novamente, saí pela janela, na tampa da cisterna, abaixei suavemente a cortina e sentei-me, seguro e invisível, mas tremendo de raiva, para assistir aos eventos. Eles partiram um painel, eu vi e, em outro momento, haviam quebrado os grampos dos ferrolhos e estavam parados no vão da porta aberta. Era o locador e seus dois enteados, jovens robustos de vinte e três ou vinte e quatro anos. Atrás deles, agitava-se a bruxa velha do andar de baixo.

– Você pode imaginar o espanto deles ao encontrar o quarto vazio. Um dos homens mais jovens correu direto para a janela, atirou-a para cima e olhou para fora. Seus olhos fixos, rosto barbudo e lábios grossos vieram a 30 centímetros do meu rosto. Eu estava quase pensando em acertar sua cara idiota, mas detive meu punho dobrado. Ele olhou através de mim. Em seguida, os outros também quando se juntaram a ele. O velho foi e espiou debaixo da cama, e todos correram para o armário. Discutiram longamente sobre isso em inglês iídiche e *cockney*[11]. Concluíram que eu não havia respondido, era a imaginação deles os enganado. Um sentimento de extraordinária euforia tomou o lugar da minha raiva quando me sentei do lado de fora da janela e observei essas quatro pessoas, pois a velha senhora entrou, deu uma olhada desconfiada como um gato, tentando entender o enigma do meu comportamento.

– O velho, até onde pude entender seu dialeto, concordou com a velha senhora que eu era vivisseccionista. Os filhos protestaram em inglês rústico que eu era eletricista e apontaram para os dínamos e radiadores. Eles estavam todos nervosos com a minha possível chegada; embora, depois, eu tivesse descoberto que haviam trancado a porta da frente. A velha senhora espiou dentro do armário e debaixo da cama, e um dos jovens levantou a portinhola e olhou pela chaminé. Um dos meus companheiros de acomodação, um comerciante que dividia o quarto oposto com um açougueiro, apareceu no patamar, foi chamado a entrar e contou coisas incoerentes.

– Ocorreu-me que se os radiadores caíssem nas mãos de alguma pessoa sagaz e bem instruída, me entregariam demais e, vendo minha oportunidade, entrei no quarto e entortei um dos pequenos dínamos para fora do par que o suportava, e esmaguei ambos os dispositivos. Então, enquanto eles tentavam explicar o esmagamento, eu escapei do quarto e desci as escadas suavemente.

– Entrei em uma das salas de estar e esperei até que descessem, ainda especulando e argumentando, todos um pouco decepcionados

11 Dialeto inglês falado pelas classes trabalhadoras.

por não encontrarem “horrores” e um pouco confusos sobre como agiriam em relação a mim. Então, voltei para cima com uma caixa de fósforos, incendiei minha pilha de papel e lixo, coloquei junto as cadeiras e as roupas de cama, conduzi o gás para minhas coisas por meio de um tubo de borracha, e acenei um adeus para o quarto pela última vez.

– Você incendiou a casa! – exclamou Kemp.

– Incendiei a casa. Era a única maneira de cobrir meu rastro, e sem dúvida estava no seguro. Deslizei os ferrolhos da porta da frente silenciosamente e fui para a rua. Eu era invisível e mal começara a perceber a vantagem extraordinária que esta invisibilidade me dava. Minha cabeça já estava repleta com planos de todas as coisas selvagens e maravilhosas que agora eu tinha impunidade para fazer.

NA RUA OXFORD

– Ao descer escadas pela primeira vez, encontrei uma dificuldade inesperada, porque não conseguia ver meus pés; tropecei duas vezes, e houve uma total falta de jeito ao segurar o ferrolho. Não olhando para baixo, no entanto, consegui pisar no chão razoavelmente bem.

– Meu humor, eu diria, era de exaltação. Sentia-me como um homem que, com pés acolchoados e roupas silenciosas, enxergasse em uma cidade de cegos. Tive um impulso selvagem de zombar, assustar as pessoas, palmear nas costas dos homens, atirar longe o chapéu de estranhos e, em geral, divertir-me com a minha vantagem extraordinária.

– Entretanto, eu mal havia chegado na Great Portland Street (minha estalagem ficava perto da grande loja de cortinas), quando ouvi o barulho de uma colisão e fui atingido violentamente por trás e, ao virar, vi um homem carregando uma cesta de sifões de água com gás, olhando espantado para o seu pacote. Embora a pancada realmente tivesse me machucado, encontrei algo tão irresistível em seu assombro que ri alto. "O diabo está na cesta", eu disse, e de repente a girei da mão dele. Ele a soltou imediatamente, e eu fiz todo o seu conteúdo pairar no ar.

– Mas um cocheiro idiota, parado do lado de fora de um pub, correu repentinamente até a cesta, e seus dedos estendidos me pegaram com grande violência debaixo da orelha. Deixei tudo cair com um golpe no cocheiro e, em seguida, com gritos e barulho de pés ao meu redor, pessoas saindo de lojas, veículos parando, percebi o que havia feito comigo e, maldizendo minha loucura, recuei até a vitrine de uma loja e me preparei para escapar da confusão. Em questão de segundos ficaria preso no meio da multidão e seria inevitavelmente descoberto. Empurrei um garoto açougueiro, que por sorte não se virou para ver o vazio que o empurrou para o lado e me esquivei atrás da carruagem do cocheiro. Não sei como eles apaziguaram a situação. Com medo de a responsabilidade do incidente ser atribuída a mim, corri direto pela rua, que felizmente estava vazia, e sem prestar atenção em que caminho segui, mergulhei na multidão da tarde da Oxford Street.

– Tentei entrar no fluxo de pessoas, mas a multidão era compacta demais para mim, e logo meus calcanhares estavam sendo pisados. Andei pela sarjeta, cuja aspereza achei dolorosa para os meus pés, e imediatamente a haste de uma carruagem me golpeou nas costas, abaixo da escápula, lembrando-me de que eu já estava severamente machucado. Cambaleei para fora do caminho da carruagem, evitei um carrinho de bebê com um movimento convulsivo e fui parar atrás de uma charrete. Um pensamento feliz me salvou e, enquanto a carroça avançava lentamente, eu segui logo atrás dela, trêmulo e atônito com a virada da minha aventura. E não apenas trêmulo, mas arrepiado. Era um dia claro de janeiro e eu estava completamente nu, e o lodo fino de lama que cobria a estrada estava congelado. Por mais tolo que me pareça agora, eu não havia calculado que, transparente ou não, ainda estava suscetível ao clima e a todas as suas consequências.

– Então, de repente, uma ideia brilhante me veio à mente. Eu corri e entrei na boleia. E assim, tremendo, assustado e fungando com os primeiros sinais de um resfriado, e com as contusões nas minhas costas crescendo sob minha atenção, segui devagar pela Oxford Street e passei a Tottenham Court Road. Meu humor era tão diferente daquele em que eu me encontrara dez minutos atrás, como é possível imaginar. Essa invisibilidade... Incrível! O único pensamento que me possuía era: como eu poderia sair da enrascada em que estava.

– Passamos devagar pela Biblioteca Mudie, e lá uma mulher alta, com cinco ou seis livros amarelos, chamou minha carruagem, e saltei a tempo de escapar dela, raspando em um vagão ferroviário. Subi a rua para a Bloomsbury Square, com a intenção de, passando pelo museu, chegar ao norte e entrar no tranquilo distrito. Agora eu estava cruelmente congelando, e a estranheza da minha situação me deixou tão desconcertado que choramingava enquanto corria. Na esquina ao norte da praça, um cachorrinho branco saiu correndo da sede da Sociedade Farmacêutica vindo imediatamente até mim, farejando.

– Nunca havia pensado nisso antes, mas o nariz é para a mente de um cachorro o que o olho é para a mente de um homem que vê. Os cães percebem o cheiro de um homem se movendo assim como os homens percebem com sua visão. O animal começou a latir e a pular, mostrando claramente, como me pareceu, que ele estava ciente de mim. Atravessei a Great Russell Street, olhando por cima do ombro enquanto o cachorro me perseguia, e segui um pouco pela Montague Street antes que percebesse em que direção eu corria.

– Então tomei consciência de um retumbar musical e, olhando pela rua, vi várias pessoas saindo da Russell Square, camisas vermelhas e com a bandeira do Exército da Salvação à frente. Tal multidão, cantando na rua e ocupando a calçada, eu não podia avançar e, temendo voltar e ficar mais longe da casa novamente, fui no impulso do momento e subi correndo os degraus brancos de uma casa de frente para os trilhos do museu e fiquei lá até a multidão ter passado. Felizmente, o cachorro também parou com o barulho da banda, hesitou e virou o rabo, correndo de volta à Bloomsbury Square.

– A banda chegou, entoando com ironia inconsciente um cântico religioso que dizia "Quando vamos ver o rosto Dele?" e me pareceu um tempo interminável até que a maré de pessoas passasse pela rua diante de mim. Tum, tum, tum, fazia o tambor com uma ressonância vibrante e, por um momento, não notei dois moleques parando nas grades ao meu lado. "Veja!", disse um deles. "O quê?", perguntou o outro. "Essas pegadas ... descalças. Como as que fazemos na lama."

– Olhei para baixo e vi que os garotos haviam parado e estavam boquiabertos com as pegadas lamacentas que eu deixara atrás de mim nos degraus recém-pintados de branco. O povo que passava acotovelou-os e empurrou-os, mas a inteligência confusa deles já estava alerta. "Tum, tum, tum, quando, tum, veremos, tum, o rosto Dele, tum, tum." "Há um homem descalço subindo os degraus, ou eu não sei de nada", disse um deles. "E ele nunca desceu novamente. E seu pé estava sangrando."

– O grosso da multidão já havia passado. "Olha lá, Ted", falou o mais novo dos detetives, com a nitidez de surpresa em sua voz, e apontou direto para os meus pés. Olhei para baixo e vi de imediato a vaga indicação de seus contornos desenhados em respingos de lama. Por um momento, eu fiquei paralisado.

"Ora, isso é estranho", disse o mais velho. "Muito estranho!" É como o fantasma de um pé, não é? Ele hesitou e avançou com a mão estendida. Um homem, e depois uma garota, pararam rapidamente para ver o que estava acontecendo. Demorasse mais um pouco, teria me tocado. Então, eu vi o que fazer. Dei um passo, o garoto recuou com uma exclamação e, com um movimento rápido, me balancei para o pórtico da casa seguinte. Mas o garoto menor tinha olhos aguçados o suficiente para acompanhar o movimento, e antes que eu descesse os degraus para a calçada, ele se recuperara de seu espanto momentâneo e estava gritando que os pés haviam passado por cima do muro.

– Eles correram e viram minhas novas pegadas aparecerem no degrau mais baixo e na calçada. "O que está acontecendo?", alguém perguntou. "Pés! Olhe! Pés correndo!"

– Todo mundo na rua, exceto meus três perseguidores, estava cantando atrás do Exército da Salvação, e isso foi uma barreira não apenas para mim, mas para eles também. Houve um tumulto, com muita surpresa e um interrogatório. À custa de derrubar um jovem, passei pela multidão, e logo estava correndo em volta da Russell Square, com seis ou sete pessoas espantadas seguindo minhas pegadas. Não havia tempo para explicações, ou então todo o grupo estaria atrás de mim.

– Duas vezes eu dobrei as esquinas, três vezes atravessei a rua e voltei sobre minhas pegadas, e então, quando meus pés ficaram quentes e secos, as impressões úmidas começaram a desaparecer. Finalmente, tive um tempo para respirar e esfreguei meus pés com minhas mãos e, assim, escapei completamente. A última coisa que vi da perseguição foi, talvez, um pequeno grupo de uma dúzia de pessoas, examinando com infinita perplexidade uma pegada secando lentamente, que resultara de uma poça na Tavistock Square, uma pegada tão isolada e incompreensível para eles quanto a solitária descoberta de Crusoé.

– Essa corrida me aqueceu até certo ponto, e continuei com mais coragem pelo labirinto de ruas menos frequentadas daquela vizinhança. Minhas costas agora estavam muito enrijecidas e doloridas, meu pescoço estava ferido pelos dedos do cocheiro, com a pele arranhada por suas unhas; meus pés doíam excessivamente e eu estava manco por conta de um pequeno corte em um pé. Vi, em tempo, um cego se aproximando de mim e fugi mancando, pois temia suas intuições sutis. Uma ou duas quedas acidentais ocorreram e eu assustei as pessoas com xingamentos inexplicáveis ecoando em seus ouvidos. Então, algo veio silencioso e quieto contra o meu rosto, e toda a praça foi coberta por um fino véu de flocos de neve descendo bem devagar Havia pegado um resfriado e, por isso, não conseguia evitar um espirro ocasional. E todos os cães que apareciam, com os focinhos alertas e farejando curiosos, eram um terror para mim.

– Então, vieram homens e meninos correndo, primeiro um e depois outros, gritando enquanto corriam. Era um incêndio. Eles correram na direção da minha hospedaria e, olhando para trás em direção a uma rua, vi uma massa de fumaça preta fluindo acima dos telhados e dos fios telefônicos. Era o meu quarto queimando; minhas roupas, meus aparelhos, todos os meus recursos – exceto meu talão de cheques e os três volumes de anotações que me aguardavam na Great Portland Street –, estavam lá. Queimando! Se algum homem já queimou todas as suas chances, este homem fui eu! O lugar estava em chamas.

O Homem Invisível fez uma pausa e pensou. Kemp, aflito, lançou o olhar pela janela.

— Sim? – ele falou. – Vá em frente.

NO EMPÓRIO

– Então, em janeiro passado, com o início de uma tempestade de neve no ar ao meu redor (e se ela se instalasse em mim, me trairia!); cansado, com frio, dolorido, inexprimivelmente miserável e ainda meio convencido da minha qualidade invisível, comecei esta nova vida com a qual estou comprometido. Não tinha abrigo, nem acessórios, tampouco um ser humano em quem eu pudesse confiar no mundo. Contar o meu segredo teria me revelado, feito de mim um espetáculo, uma raridade em exibição. No entanto, tinha vontade de abordar alguns transeuntes e implorar por sua clemência. Mas eu sabia muito claramente o terror e a crueldade brutal que meus avanços evocariam. Não fiz nenhum plano na rua. Meu único objetivo era me abrigar da neve, me cobrir e me aquecer; assim, eu poderia esperar para planejar. Mas mesmo para mim, um Homem Invisível, as filas de casas de Londres encontravam-se travadas, barradas e trancadas de maneira invencível.

– Eu podia ver claramente diante de mim apenas uma coisa: a exposição ao frio e a miséria da tempestade de neve e da noite.

Então, tive uma ideia brilhante. Virei uma das ruas que levam da Gower Street até a Tottenham Court Road e me encontrei diante da Omniums, o grande estabelecimento onde se compra de tudo; você conhece o lugar: carne, mantimentos, lençóis, móveis, roupas e até pinturas a óleo. Trata-se de uma enorme e labiríntica coleção de lojas em vez de apenas uma. Pensei que encontraria as portas abertas, mas estavam fechadas e, enquanto eu estava na enorme entrada, uma carruagem parou do lado de fora e um homem de uniforme, você sabe, o tipo de personagem com "Omniums" escrito em seu boné, abriu a porta. Consegui entrar e, andando pela loja - era um departamento onde vendiam fitas, luvas, meias e esse tipo de coisa -, cheguei a uma área mais espaçosa dedicada a cestas de piquenique e móveis de vime.

– No entanto, eu não me sentia seguro lá; as pessoas estavam andando de um lado para o outro, e eu rondei sem parar até encontrar uma enorme seção no andar superior, contendo um grande número de colchões e camas. Escalando tudo isso, finalmente encontrei um local de descanso no meio de uma enorme pilha de colchonetes dobrados. O local já estava iluminado e agradavelmente quente, assim decidi permanecer onde estava, mantendo um olhar cauteloso nos dois ou três grupos de lojistas e clientes que estiveram perambulando pelo local até a hora do fechamento. Então, pensei, eu poderia roubar comida e roupas do lugar e, disfarçado, rondar por ele e examinar seus recursos, talvez dormir em alguma das camas. Parecia um plano aceitável. Minha ideia era obter roupas que me deixassem bem agasalhado, mas aceitável, conseguir dinheiro e assim recuperar meus livros e pacotes onde eles me esperavam, alojar-me em algum lugar e elaborar planos para a completa realização das vantagens que minha invisibilidade me dava (como eu ainda imaginava) sobre meus semelhantes.

– O horário de fechamento chegou rápido o suficiente Não deveria ter passado mais de uma hora desde que tomei minha posição nos colchões antes de perceber as cortinas das janelas sendo fechadas e os clientes marcharem para a porta. E então vários jovens agéis e com notável entusiasmo começaram a arrumar os bens que permaneciam desorganizados. Deixei meu esconderijo enquanto as multidões diminuíam e rondei cautelosamente pelas partes menos desertas da loja.

Fiquei realmente surpreso ao observar com que rapidez os rapazes e as moças arrumavam as mercadorias expostas à venda durante o dia. Todas as caixas de mercadorias, os tecidos pendurados, os enfeites de renda, as caixas de doces na seção de alimentos, as exibições disso e daquilo estavam sendo rapidamente recolhidas, dobradas, guardadas em recipientes arrumados, e tudo o que não podia ser desmontado e guardado era coberto por tecidos grossos como sacos. Finalmente, todas as cadeiras foram viradas sobre os balcões, deixando o piso livre. Assim que cada um desses jovens terminava sua tarefa, ele ou ela dirigia-se para a porta com uma tal expressão de animação que raras vezes observei em um atendente de loja antes. Depois, vieram muitos jovens espalhando serragem e carregando baldes e vassouras. Tive que me esquivar para sair do caminho e, da maneira como eu estava, meu tornozelo foi picado com a serragem. Por algum tempo, vagando pelos departamentos cobertos e escuros, pude ouvir as vassouras trabalhando. E, finalmente, um bom tempo depois que a loja foi fechada, veio um ruído de portas trancadas. O silêncio tomou conta do local, e eu me encontrei vagando sozinho pelas enormes e intricadas lojas, galerias e salas de exposição do lugar. Estava muito quieto; em um lugar que me lembro de passar perto de uma das entradas da Tottenham Court Road e escutar o sapatear dos saltos das botas dos transeuntes.

– Minha primeira visita foi ao lugar onde eu havia visto meias e luvas à venda. Estava escuro e tive muito trabalho para achar fósforos, que finalmente encontrei na gaveta do caixa. Então, tive que arrumar uma vela. Precisei rasgar embrulhos e vasculhar várias caixas e gavetas, mas finalmente consegui encontrar o que eu procurava; o rótulo da caixa dizia ceroulas e camisetas de lã de cordeiro. Em seguida, fui em busca de meias, um edredom grosso, e depois para o setor de roupas e peguei calças, um paletó, um sobretudo e um tipo de chapéu clerical com a aba virada para baixo. Comecei a me sentir um ser humano novamente, e meu pensamento seguinte foi comida.

– No andar de cima, havia uma área de alimentação e lá eu peguei alguns frios. Ainda havia café no bule, acendi o gás e o esquentei novamente, e de modo geral, não fiz nada mal. Depois, rondando pelo local em busca de mais cobertores (tive que me contentar com um monte de colchas), cheguei a uma seção de guloseimas com muito chocolate e frutas cristalizadas, mais do que de fato seria bom para mim, e um pouco de vinho branco. Perto dali havia um departamento de brinquedos, e eu tive uma ideia brilhante. Encontrei alguns narizes artificiais: narizes falsos, você sabe. Pensei em óculos escuros também, mas a Omniums não tinha departamento óptico. Meu nariz fora realmente uma dificuldade... Havia pensado em tinta. Mas a descoberta colocou minha mente para funcionar e pensei em perucas, máscaras e coisas do gênero. Finalmente, fui dormir em uma pilha de colchas, muito quente e confortável.

– Meus últimos pensamentos antes de dormir foram os mais agradáveis que tive desde a mudança. Estava em um estado de serenidade física, e isso foi refletido em minha mente. Pensei que seria capaz de sair despercebido de manhã com minhas roupas em cima de mim, abafando meu rosto com um lenço branco que eu pegara, para comprar, com o dinheiro que eu pegara, óculos e outras coisas e, desse modo, completar meu disfarce. Caí em sonhos desordenados sobre todas as coisas fantásticas ocorridas nos últimos poucos dias. Vi o judeuzinho feio que era meu locador vociferando em seus aposentos; vi seus dois filhos espantados, e o rosto enrugado e retorcido da velha, enquanto perguntava por seu gato. Experimentei novamente a estranha sensação de ver a roupa desaparecer e, então, cheguei à encosta que ventava e o velho clérigo fungando e murmurando "Terra à terra, cinza à cinza, pó ao pó", no túmulo aberto de meu pai.

– "Você também", disse uma voz, e de repente eu estava sendo empurrado em direção à sepultura. Lutei, gritei, apelei para os enlutados, mas eles continuaram obstinadamente seguindo o culto; o velho clérigo também nunca vacilava, falando de jeito monótono e fungando durante o ritual. Percebi que eu era invisível e inaudível, e forças sufocantes tinham seus punhos sobre mim. Lutei em vão, fui forçado sobre a beirada, o caixão tocou o buraco quando caí sobre ele, e o cascalho veio voando atrás de mim em pás cheias. Ninguém prestou atenção em mim, ninguém estava ciente de mim. Lutei convulsivamente e acordei.

– O amanhecer pálido de Londres havia chegado; o lugar estava cheio de uma luz cinza e fria que se infiltrava ao redor das bordas das persianas das janelas. Sentei-me e, durante algum tempo, não conseguia pensar onde seria esse amplo apartamento, com seus balcões, suas pilhas de coisas enroladas, montes de colchas e almofadas, seus pilares de ferro. Então, quando as lembranças voltaram a mim, ouvi vozes conversando.

– Então, lá embaixo, à luz mais brilhante de algum departamento que já havia levantado suas persianas, vi dois homens se aproximando. Levantei-me com dificuldade, procurando ao meu redor alguma maneira de escapar e, por mais que tentasse, o som do meu movimento os fez cientes de mim. Suponho que viram apenas uma figura se afastando silenciosa e rapidamente. "Quem é aquele?", gritou um, e "Pare aí!", gritou o outro. Corri para um canto e avancei a toda velocidade (uma figura sem rosto, Imagine!) sobre um moço magricela de quinze anos. Ele gritou e eu o derrubei, passei por ele apressado, virei outro canto e, por uma feliz inspiração, me joguei atrás de um balcão. Em outro momento, pés passaram correndo e ouvi vozes gritando: "Todos para as portas!", perguntando o que estava acontecendo e dando conselhos um ao outro sobre como me pegar.

– Deitado no chão, me assustei com minha perspicácia. Mas, por mais estranho que pareça, não me ocorreu no momento tirar minhas roupas, como eu deveria ter feito. Eu tinha decidido, suponho, escapar nelas, e isso me dominou. E então, embaixo da vista dos balcões veio um grito "Aqui está ele!"

– Saltei sobre meus pés, tirei uma cadeira do balcão e a mandei girando para o tolo que havia gritado, virei, entrou outro dobrando um canto, mandei-o longe girando e precipitei-me escada acima. Ele deteve-se, deu um olá, e subiu a escada acelerando atrás de mim. No andar de cima estavam empilhados um grande número desses potes de cores vivas – o que são?

– Vasos artesanais – sugeriu Kemp.

– É isso! Vasos artesanais. Bem, virei no degrau mais alto e peguei um de uma pilha e o esmaguei em sua cabeça idiota quando ele veio até mim. Toda a pilha de vasos foi muito rápido escada abaixo, e ouvi gritos e passos correndo de todas as partes. Dei uma corrida louca até a área de alimentação, e havia um homem de branco, como um cozinheiro, que continuou a perseguição. Fiz uma última volta desesperada e me vi entre lampiões e artigos de ferro. Fui para trás desse balcão e esperei por meu cozinheiro, e quando ele disparou na frente da perseguição, acertei-o com um lampião. Ele caiu e me agachei atrás do balcão e comecei a arrancar minhas roupas o mais rápido que pude. Casaco, paletó, calça, sapatos saíram bem, mas uma camiseta de lã de carneiro ajusta-se a um homem como uma pele. Ouvi mais homens chegando, o cozinheiro estava quieto do outro lado do balcão, aturdido ou assustado e sem palavras, e tive que fazer outra corrida, como um coelho expulso de uma pilha de madeira.

– "Por aqui, policial!" Eu ouvi alguém gritando. Eu me encontrei no depósito de camas novamente e no final de um deserto de guarda-roupas. Precipitei-me entre eles, fiquei preso, desfiz-me da minha camiseta depois de infinitas contorções e vi-me um homem livre novamente, ofegante e assustado, quando o policial e três dos lojistas viraram o canto. Eles correram para a camiseta e as ceroulas e agarraram as calças. "Ele está abandonando seu furto", disse um dos jovens. "Ele deve estar em algum lugar aqui."

– Mesmo assim, eles não me acharam.

– Fiquei assistindo-os me caçar por um tempo e amaldiçoando minha má sorte em perder as roupas. Então, entrei na área de alimentação, bebi um pouco de leite que encontrei lá e me sentei perto da lareira para considerar minha situação.

– Em pouco tempo, dois funcionários entraram e começaram a conversar sobre o ocorrido com muita empolgação e como os tolos que eram. Ouvi um relato extenso de meu vandalismo e outras especulações sobre meu paradeiro. Então, comecei a planejar novamente. A dificuldade insuperável do lugar, especialmente agora que estava alarmado, era escapar dali com algo roubado. Entrei no depósito para ver se havia alguma chance de empacotar e endereçar uma encomenda, mas não pude entender o sistema de controle. Por volta das onze horas, com a neve derretendo à medida que caía, e o dia estando mais agradável e um pouco mais quente que o anterior, decidi que não haveria esperança naquele empório e saí novamente, exasperado com a minha falta de sucesso, com apenas planos de ação muito vagos na cabeça.

NA DRURY LANE

– Contudo, agora você começa a perceber – disse o Homem Invisível – a desvantagem total da minha condição. Não tinha abrigo, nenhuma coberta, e obter roupas era renunciar a toda a minha vantagem, fazer de mim uma coisa estranha e terrível. Eu estava jejuando; pois comer, encher-me de matéria não assimilada, seria tornar-me grotescamente visível de novo.

– Eu nunca pensei nisso – disse Kemp.

– Nem eu. E a neve tinha me avisado de outros perigos. Eu não poderia sair na neve: ela se instalaria em mim e me exporia. A chuva também faria de mim um contorno aquoso, uma superfície brilhante de um homem, uma bolha. E a neblina... Eu seria como uma bolha mais fraca, uma superfície, um vislumbre cintilante de humanidade. Além disso, quando fui para fora, no ar de Londres, juntou sujeira nos meus tornozelos; flutuantes marcas de fuligem e poeira sobre minha pele. Eu não sabia quanto tempo levaria para que me tornasse visível por causa disso também. Mas vi claramente que não poderia ser por muito tempo.

– Não em Londres, pelo menos.

– Entrei nos cortiços em direção à Great Portland Street e me encontrei ao final da rua em que havia me hospedado. Não fui por essa rua, por causa da multidão no meio do caminho, em frente às ruínas ainda fumegantes da casa que eu havia incendiado. Meu problema mais imediato era arranjar roupas. O que fazer com o meu rosto me intrigou. Então vi em uma daquelas pequenas lojas de artigos diversos – novidades, doces, brinquedos, artigos de papelaria, tolices de Natal tardias, e coisas do tipo – uma variedade de máscaras e narizes. Percebi que o problema estava resolvido. Em um instante, vi meu rumo. Eu me virei, não mais sem objetivo, e andei de maneira sinuosa, para evitar os caminhos movimentados, em direção às ruas secundárias ao norte da Strand; pois me lembrei, embora não muito claramente de onde, que alguns fornecedores de acessórios e roupas teatrais tinham lojas naquele distrito.

– O dia estava frio, com um vento cortante pelas ruas que corriam em direção ao norte. Andei rápido para evitar ser ultrapassado. Cada travessia era um perigo, cada passageiro era algo para observar atentamente. Um homem a quem eu estava prestes a passar, no fim da Bedford Street, virou-se abruptamente e trombou em mim, e me jogou para a rua, quase embaixo das rodas de uma carruagem que passava. A opinião na parada dos cocheiros era de que ele tivera algum tipo de síncope. Fiquei tão nervoso com esse encontrão que entrei no Covent Garden Market e sentei-me por algum tempo em um canto silencioso ao lado de uma banca de violetas, ofegando e tremendo. Descobri que havia pegado um resfriado e tive que sair depois de um tempo para meus espirros não atraírem atenção.

– Ao menos, alcancei o objeto de minha busca: uma lojinha suja e às moscas, perto da Drury Lane, cuja vitrine ostentava robes espalhafatosos, bijuterias, perucas, chinelos, dominós e fotografias teatrais. A loja era antiquada, baixa e escura, e a casa escura e sombria erguia-se acima dela por quatro andares. Espiei pela vitrine e, não vendo ninguém lá dentro, entrei. A abertura da porta fez um sino tocar. Deixei-a aberta e andei em volta de um estande de roupas vazio até um canto atrás de um espelho basculante de chão. Por um minuto mais ou menos, ninguém apareceu. Então, ouvi pés pesados atravessando uma sala e um homem apareceu na loja.

– Meus planos agora estavam perfeitamente definidos. Propus-me a entrar na casa, me esconder no andar de cima, esperar uma oportunidade, e quando tudo estivesse quieto, procurar peruca, máscara, óculos e roupa, saindo para o mundo, talvez como uma figura grotesca, mas ainda digna de crédito. E a propósito, é claro, eu poderia roubar da casa qualquer dinheiro disponível.

– O homem que havia acabado de entrar na loja era baixo, franzino, corcunda, de sobrancelhas grossas e unidas, com braços compridos e pernas muito curtas e curvas. Aparentemente, eu tinha interrompido uma refeição. Ele deu uma olhada pela loja com uma expressão de expectativa. Isto causou surpresa, e depois, raiva, quando ele viu a loja vazia. "Malditos garotos!", falou. Então, foi olhar para os dois lados da rua. Logo voltou, chutou a porta com raiva e foi resmungando de volta para a porta da casa.

– Entrei para segui-lo e, com o barulho do meu movimento, ele parou. Eu também, assustado com sua acuidade auditiva. Ele bateu violentamente a porta da casa na minha cara.

– Permaneci hesitante. De repente, ouvi seus passos rápidos retornando e a porta reabriu. Ele estava em pé, olhando a loja como alguém que ainda não estava satisfeito. Então, murmurando consigo mesmo, examinou a parte de trás do balcão e sondou por trás de algumas luminárias. Ficou em dúvida. Como ele havia deixado a porta da casa aberta, eu deslizei para o interior da sala.

– Era uma saleta estranha, mal mobiliada e com várias máscaras grandes no canto. Sobre a mesa, estava seu café da manhã tardio, e foi algo perturbador e insuportável para mim, Kemp, ter de cheirar seu café e ficar assistindo enquanto ele entrava e retomava sua refeição. E suas maneiras à mesa eram irritantes. Três portas se abriam para a saleta, uma subindo e outra descendo, mas todas estavam fechadas. Eu não conseguia sair da sala enquanto ele estava lá; eu mal podia me mover por causa de seu estado de alerta, e havia uma corrente de ar nas minhas costas. Por duas vezes, sufoquei um espirro bem a tempo.

– A qualidade espetacular de minhas percepções era curiosa e inédita, mas, apesar de tudo, eu estava cansado e com raiva muito antes de ele ter terminado sua refeição. Finalmente terminou e, colocando sua louça barata na bandeja de lata preta sobre a qual tinha colocado o bule de chá, e recolhendo todas as migalhas no pano manchado de mostarda, levou o monte de coisas com ele. Sua carga o impediu de fechar a porta, como ele teria feito; eu nunca vi um homem com mania de fechar portas, e eu o segui até uma cozinha e copa subterrânea muito suja. Tive o prazer de vê-lo começar a lavar a louça e, então, não encontrando nada de bom para me manter lá embaixo, e o chão de tijolos congelando meus pés, voltei para o andar de cima e sentei em sua cadeira perto da lareira. Estava queimando baixo, e sem pensar, coloquei um pouco de carvão. O barulho disso o trouxe imediatamente para cima, e ele ficou de pé olhando furiosamente. Espiou pela sala e por um triz não me tocou. Mesmo depois desse exame, parecia insatisfeito. Parou na porta e e deu uma última olhada antes de descer.

– Esperei na pequena sala por uma era, e finalmente ele apareceu e abriu a porta do andar de cima. Mal consegui ultrapassá-lo.

– Na escada, ele parou de repente, de modo que eu quase esbarrei nele. Ficou de pé olhando de volta para o meu rosto e ouvindo. “Eu poderia jurar”, disse ele. Sua mão longa e peluda puxou o lábio inferior. Seus olhos subiram e desceram a escada. Então, grunhiu e subiu novamente.

– Com a mão na maçaneta de uma porta, ele parou novamente com a mesma raiva confusa no rosto. Estava tomando consciência dos sons indistintos dos meus movimentos perto dele. O homem devia ter uma audição diabolicamente aguçada. De repente, teve um lampejo de fúria. “Se houver alguém nesta casa...”, gritou e com um palavrão deixou a ameaça inacabada. Colocou a mão em seu bolso, não conseguiu encontrar o que queria e, correndo, passou por mim, e saiu esbarrando ruidosa e agressivamente escada abaixo. Mas não o segui. Sentei-me no alto da escada até seu retorno.

– Logo reapareceu, ainda resmungando. Abriu a porta da sala e, antes que eu pudesse entrar, bateu-a violentamente na minha cara.

– Resolvi explorar a casa e passei algum tempo fazendo isso o mais silenciosamente possível. A casa estava muito velha e em ruínas, úmida de modo que o papel nos sótãos estava descascando das paredes, e infestada de ratos. Algumas das maçanetas das portas estavam rígidas e eu fiquei com medo de girá-las. Vários quartos que inspecionei não tinham mobília e outros estavam cheios de trastes teatrais, comprados de segunda mão; a julgar pela aparência. Em um quarto ao lado do dele, encontrei muitas roupas velhas. Comecei a remexer entre elas e, na minha ansiedade, esqueci novamente a acuidade evidente de seus ouvidos. Ouvi um passo furtivo e, olhando bem a tempo, vi-o espreitando a pilha caída e segurando um revólver antiquado em sua mão. Permaneci perfeitamente imóvel enquanto ele fitava por toda parte boquiaberto e desconfiado. "Deve ter sido ela", disse ele lentamente. "Desgraçada!!!"

– Fechou a porta silenciosamente e, na mesma hora, ouvi a chave girar na fechadura. Então, seus passos recuaram. Logo me dei de que estava trancado. Por um minuto, não sabia o que fazer. Andei da porta até a janela e voltei, e parei desorientado. Uma ataque de raiva tomou conta mim. Mas decidi inspecionar as roupas antes de fazer mais alguma coisa, e minha primeira tentativa derrubou uma pilha de uma prateleira superior. Isso o trouxe de volta, mais sinistro do que nunca. Naquele momento, ele realmente me tocou, pulou para trás com espanto e ficou atônito no meio da sala.

– Logo depois, se acalmou um pouco. "Ratos", disse em voz baixa, dedos nos lábios. Ele estava evidentemente um pouco assustado. Avancei silenciosamente para fora da sala, mas uma tábua rangeu. Então, o pequeno diabólico brutamontes começou a andar por toda a casa, com o revólver na mão e trancando porta após porta e guardando as chaves nos bolsos. Quando percebi o que ele estava fazendo, tive um pouco de raiva, mal consegui me controlar o suficiente para agarrar minha oportunidade. A essa altura, eu sabia que ele estava sozinho na casa e, sem mais delongas, bati na cabeça dele.

– Bateu na cabeça dele? – exclamou Kemp.

– Sim, eu o acertei quando ele estava descendo as escadas. Bati nele por trás com uma banqueta que estava no patamar. Ele desceu as escadas como um saco de botas velhas.

– Mas veja! As convenções fundamentais da humanidade...

– São todas muito boas para as pessoas comuns. Mas a questão, Kemp, era que eu tinha que sair daquela casa em um disfarce sem que ele me visse, e não me ocorreu outra maneira de fazer isso. Então, o amordacei com um colete Louis XIV e amarrei-o em um lençol.

– Amarrou-o em um lençol!

– Fiz dele uma espécie de saco. Foi uma ideia muito boa manter o idiota assustado e quieto, preso em uma coisa difícil de sair... uma vez que a cabeça fica longe da corda. Meu caro Kemp, não adianta ficar sentado me olhando como se eu fosse um assassino. Tinha que ser feito. Ele tinha o revólver. E uma vez que me visse, seria capaz de me descrever...

– Mas ainda – disse Kemp – na Inglaterra... hoje em dia. E o homem estava em sua própria casa, e você estava... bem, roubando.

– Roubando! Maldito! Você vai me chamar de ladrão daqui a pouco! Com certeza, Kemp, você não é tolo o suficiente para seguir velhas regras. Você não consegue ver minha posição?

– E a dele também – disse Kemp.

O Homem Invisível levantou-se bruscamente.

– O que você quer dizer com isso?

O rosto de Kemp enrijeceu um pouco. Ele estava prestes a falar e refletiu.

– Suponho que, afinal de contas – disse com uma súbita mudança de comportamento – a coisa tinha que ser feita. Você estava em apuros. Mas mesmo assim...

– Claro, eu estava em apuros... em uma situação infernal. E ele me deixou furioso, me caçando pela casa, fazendo-se de bobo com seu revólver, trancando e destrancando portas. Ele era simplesmente insuportável. Você não me culpa, não é? Você não me culpa?

– Eu nunca culpo ninguém – disse Kemp. – Está completamente fora de moda. O que você fez depois?

– Eu estava com fome. Lá embaixo, encontrei um pão e um pouco de queijo malcheiroso, mais do que o suficiente para satisfazer minha fome. Peguei um pouco de conhaque e água, e então passei pelo meu saco improvisado – ele estava deitado bem quieto – para o quarto onde tinha as roupas velhas. Este dava para a rua, duas cortinas de renda marrons com sujeira protegiam a janela. Fui até lá e espreitei pelas frestas. Lá fora o dia estava claro, em contraste com as sombras marrons da casa sombria na qual eu me encontrava, deslumbrantemente claro. Um trânsito rápido passava, carroças de frutas, uma charrete, uma carruagem de quatro rodas com uma pilha de caixas, uma carroça de peixaria. Virei-me, com manchas de cor nadando diante dos meus olhos, para as luminárias sombrias atrás de mim. Minha excitação estava dando lugar a uma clara apreensão da minha situação novamente. O quarto estava cheio de um leve odor de benzina, usada, suponho, para limpar as roupas.

– Comecei uma busca sistemática pelo lugar. Devo julgar que o corcunda estava sozinho na casa há algum tempo. Ele era uma pessoa curiosa. Tudo o que poderia ser útil para mim eu recolhia no depósito de roupas, e então fiz uma seleção deliberada. Encontrei uma bolsa que achei uma posse apropriada, e um pouco de pó, *rouge* e esparadrapos.

– Tinha pensado em pintar e empoar meu rosto e tudo o que havia para mostrar de mim, a fim de me tornar visível, mas a desvantagem disso estava no fato deque eu deveria precisar de terebintina e outros recursos e uma quantidade considerável de tempo antes que eu pudesse desaparecer novamente. Finalmente, escolhi uma máscara do melhor tipo, ligeiramente grotesca (não mais do que muitos seres humanos), óculos escuros, suíças acinzentadas e uma peruca. Não pude encontrar roupa íntima, mas eu poderia comprar depois, e durante esse tempo, me envolvi em uma capa branca com capuz e algumas echarpes de caxemira branca. Não consegui encontrar meias, mas as botas do corcunda eram macias e isso já era suficiente. Em uma escrivaninha da loja, havia três soberanos e cerca de trinta xelins de prata, e havia oito libras de ouro em um armário trancado que eu arrebentei no quarto interno. Eu poderia ir para o mundo novamente, preparado.

– Então veio uma curiosa hesitação. Minha aparência era realmente confiável? Eu me testei com um pequeno espelho de quarto, inspecionando-me de todos os pontos de vista para descobrir qualquer brecha esquecida, mas tudo parecia completo. Eu era grotesco para o nível teatral, um avarento em cena, mas certamente não era uma impossibilidade física. Reunindo confiança, levei o espelho para a loja, fechei as persianas e me examinei de todos os pontos de vista com a ajuda do espelho basculante no canto.

– Passei alguns minutos criando coragem e então destranquei a porta da loja e marchei para a rua, deixando o pequeno homem sair de seu lençol novamente quando quisesse. Em cinco minutos, uma dúzia de esquinas interveio entre mim e a loja de fantasias. Ninguém parecia ter reparado em mim. Minha última dificuldade parecia superada.

Ele parou novamente.

– E você não se preocupou mais com o corcunda? – disse Kemp.

– Não – disse o Homem Invisível. – Nem ouvi o que aconteceu com ele. Suponho que ele se desamarrou ou chacoalhou até se soltar. Os nós estavam bem firmes.

Ele ficou em silêncio e foi até a janela, olhando fixamente para fora.

– O que aconteceu quando você saiu para a Strand? – Kemp perguntou.

– Oh!, desilusão novamente. Pensei que os meus problemas estavam acabados. Basicamente, achava que tinha liberdade para fazer tudo o que eu quisesse, exceto para revelar o meu segredo. Então, pensei. O que quer que eu fizesse, quaisquer que fossem as consequências, não era nada para mim. Eu tinha apenas que atirar minhas roupas de lado e desaparecer. Ninguém podia me segurar. Eu poderia pegar dinheiro onde encontrasse. Decidi tratar a mim mesmo com um banquete suntuoso e depois me acomodar em um bom hotel, e adquirir um novo traje apropriado. Senti-me incrivelmente confiante; não é particularmente agradável lembrar que eu era um idiota. Entrei em um lugar e já estava pedindo o almoço, quando me ocorreu que não poderia comer a menos que expusesse meu rosto invisível. Terminei de pedir o almoço, disse ao homem que eu deveria estar de volta em dez minutos, e saí exasperado. Não sei se alguma vez você já se decepcionou com seu apetite.

– Não tanto assim – disse Kemp –, mas posso imaginar.

– Eu poderia ter esmagado aqueles idiotas dos infernos. Finalmente, desmaiando com o desejo por uma comida saborosa, fui para outro lugar e exigi um quarto privado. “Estou desfigurado”, eu falei. “Muito mal.” Eles olharam para mim com curiosidade mas é claro que não era da conta deles, e assim finalmente consegui meu almoço. Não estava muito bem servido, mas era suficiente; e quando terminei, sentei-me com um charuto, tentando planejar minha linha de ação. E do lado de fora uma tempestade de neve estava começando.

– Quanto mais eu pensava nisso, Kemp, mais eu percebia quão absurdamente indefeso um homem invisível era, em um clima frio e sujo e em uma cidade civilizada lotada. Antes de fazer esta experiência louca, eu tinha sonhado com mil vantagens. Naquela tarde, pareceu tudo decepção. Fui além das coisas que um homem considera desejáveis. Sem dúvida, a invisibilidade tornou possível obtê-las, mas tornou impossível aproveitá-las quando foram obtidas. Ambição, de que adianta o orgulho do lugar quando não se pode aparecer lá? De que adianta o amor da mulher quando o nome dela é Dalila[12]? Não tenho gosto pela política, pela falta de escrúpulos da fama, pela filantropia, pelo esporte. O que é que eu devia fazer? E por isso eu me tornara um mistério embrulhado, uma caricatura de um homem enfaixado e com ataduras!

Ele pausou, e sua atitude levou a um olhar inquieto pela janela.

– Mas como você chegou a Iping? – disse Kemp, disposto a manter seu hóspede falando.

– Eu fui lá para trabalhar. Tinha uma esperança. Era uma meia ideia! Ainda a tenho. É uma ideia completa agora. Uma maneira de voltar! De restaurar o que eu fizera. Quando eu decidir. Depois que eu tiver feito tudo que poderia fazer invisivelmente. E é principalmente sobre isso que eu quero falar com você agora.

– Você foi direto a Iping?

– Sim, eu tinha que pegar meus três volumes de anotações e meu talão de cheques, minha bagagem e roupas íntimas, encomendar uma quantidade de produtos químicos para trabalhar essa minha ideia – vou lhe mostrar os cálculos assim que eu pegar meus livros –, e então eu comecei. Jesus! Lembro-me agora da tempestade de neve e a chateação que era manter a neve longe do meu nariz postiço.

– No final – disse Kemp –, anteontem, quando o descobriram, você quase... A julgar pelos jornais...

– Fui eu. Até certo ponto. Eu matei aquele idiota do policial?

– Não – disse Kemp. – Espera-se que ele se recupere.

– Sorte dele, então. Eu claramente perdi minha paciência, que idiotas! Por que não puderam me deixar em paz? E aquele taberneiro grosseiro?

– Não deve morrer ninguém – disse Kemp.

– Não sei por onde anda aquele meu vagabundo – disse o Homem Invisível, com uma risada desagradável. – Céus, Kemp, você não sabe

12 Dalila está no Livro de Juízes (13-16) e foi a mulher que seduziu e traiu o juiz Sansão. (N. E.)

o que é raiva!... Ter trabalhado por anos, planejado e conspirado, para aparecer um idiota atrapalhado, totalmente cego, bagunçando seus planos!... Todos os tipos concebíveis de criaturas tolas já criadas foram enviadas contra mim. Se isto acontecer mais vezes, irei à loucura... E destruirei a todos. Com o que já ocorreu, até aqui eles tornaram as coisas mil vezes mais difíceis.

– Sem dúvida, isso é exasperante – disse Kemp, secamente.

O PLANO QUE FALHOU

– E agora – disse Kemp, olhando pela janela –, o que devemos fazer?

Ele se aproximou de seu convidado e falou de maneira a impedir a possibilidade de um vislumbre repentino dos três homens que estavam subindo a estrada da colina – com uma lentidão intolerável, como parecia a Kemp.

– O que você estava planejando fazer quando veio para Port Burdock? Você tinha algum plano? – Kemp continuou.

– Eu estava indo embora do país. Mas mudei esse plano depois que o encontrei. Pensei que seria sensato, agora que o clima está quente e a invisibilidade possível, dirigir-me para o sul. Especialmente, porque meu segredo foi descoberto, e todos estarão à procura de um homem mascarado e agasalhado. Partem navios daqui para a França. Minha ideia era embarcar em um e correr os riscos da travessia. De lá, eu poderia ir de trem para a Espanha ou, então, ir para a Argélia. Não seria difícil. Lá, um homem sempre pode ser invisível; e, no entanto, viver. E fazer coisas. Eu estava usando aquele vagabundo como caixa de dinheiro e carregador de malas, até que eu decidisse como recuperar meus livros e minhas coisas.

– Está claro.

– E então, aquele bruto imundo teve que tentar me roubar! Ele escondeu meus livros, Kemp. Escondeu meus livros! Se eu conseguir pôr minhas mãos nele!

– Melhor planejar pegar os livros dele primeiro.

– Mas, onde ele está? Você sabe?

– Ele está na delegacia da cidade, trancado, solicitado por ele mesmo, na cela mais forte do local.

– Covarde! – disse o Homem Invisível.

– Só que isso interrompe um pouco seus planos.

– Temos que pegar esses livros; esses livros são vitais.

– Certamente – disse Kemp, um pouco nervoso, imaginando se ouvia passos lá fora. – Certamente, precisamos pegar esses livros. Mas isso não será difícil, se ele não souber que são para você.

– Não – disse o Homem Invisível, e pensou.

Kemp tentou pensar em algo para manter a conversa, mas o Homem Invisível recomeçou por vontade própria.

– Entrar na sua casa, Kemp – disse ele –, muda todos os meus planos. Pois você é um homem que pode entender. Apesar de tudo o que aconteceu, apesar dessa publicidade, da perda de meus livros, do que tenho sofrido, ainda restam grandes possibilidades, enormes possibilidades... Você não disse a ninguém que estou aqui? – ele perguntou abruptamente.

Kemp hesitou.

– Isso estava implícito – disse ele.

– Ninguém? – insistiu Griffin.

– Nenhuma alma.

– Ah! Agora...

O Homem Invisível se levantou e, com os braços na cintura, começou a andar pelo escritório.

– Cometi um erro, Kemp, um grande erro, ao carregar todas essas coisas sozinho. Perdi força, tempo, oportunidades. Sozinho; é impressionante o quão pouco um homem pode fazer sozinho! Roubar um pouco, machucar um pouco, e aí está o fim.

– O que eu quero, Kemp, é um guardião, um ajudante, um esconderijo, um arranjo que me permitiria dormir, comer e descansar em paz e sem deixar suspeitas. Eu devo ter um aliado. Com um aliado, com comida e descanso, mil coisas são possíveis.

– Até agora, esbocei linhas gerais. Temos que considerar tudo o que a invisibilidade significa e tudo o que não significa. Significa uma pequena vantagem de escutar às escondidas e assim por diante, visto que se faz barulho. É de pouca ajuda, uma pequena ajuda, talvez, para arrombar casas e coisas assim. Uma vez capturado, poderiam facilmente me prender. Mas, por outro lado, sou difícil de ser pego. Essa invisibilidade, de fato, só é boa em dois casos: é útil para fugir, é útil para se aproximar. É particularmente útil, portanto, em assassinato. Eu posso andar em volta de um homem, qualquer que seja a arma que ele tenha, escolher meu ponto, atacar como eu quiser. Escapar como eu quiser. Fugir como eu quiser.

Kemp levou a mão ao bigode. Seria um movimento lá embaixo?

– Matar é o que devemos fazer, Kemp.

– Matar é o que devemos fazer – repetiu Kemp. – Estou ouvindo seu plano, Griffin, mas não estou de acordo. Por que matar?

– Não matança arbitrária, mas um assassinato criterioso. A questão é que eles sabem que existe um Homem Invisível, assim como sabemos que existe um Homem Invisível. E esse Homem Invisível, Kemp, deve agora estabelecer um Reino de Terror. Sim; sem dúvida é assustador. Mas falo sério. Um Reino de Terror que deve tomar uma cidade como Burdock, aterrorizar e dominá-la; e deve promulgar suas ordens. Isto pode ser feito de mil maneiras, pedaços de papel enfiados debaixo das portas seriam suficientes. E todos os que desobedecem as ordens do reino, devem morrer, e quem os defender, também.

– Hum! – exclamou Kemp, não ouvindo mais Griffin, mas o som da porta da frente abrindo e fechando.

– Parece-me, Griffin – ele falou, para disfarçar sua distração –, que seu aliado estaria em uma posição difícil.

– Ninguém saberia que ele era um aliado – disse o Homem Invisível, com entusiasmo. E, então, de repente: – Shhhh! O que é isso lá embaixo?

– Nada – disse Kemp, começando a falar alto e rápido. – Eu não concordo com isso, Griffin – ele disse. – Entenda-me, eu não concordo com isso. Por que sonhar com um jogo contra a humanidade? Como você espera obter felicidade? Não seja um lobo solitário. Publique seus resultados; confronte o mundo, confronte ao menos a nação, com o seu segredo. Pense no que você poderia fazer com um milhão de ajudantes...

O Homem Invisível interrompeu com o braço estendido.

– Há passos vindo para cima – ele falou em voz baixa.

– Bobagem – disse Kemp.

– Deixe-me ver – disse o Homem Invisível, e avançou até a porta com o braço estendido.

Em seguida, as coisas aconteceram muito depressa. Kemp hesitou por um segundo e então tentou detê-lo. O Homem Invisível assustou-se e ficou parado.

– Traidor! – gritou a voz, e de repente o roupão se abriu e, sentando, o Invisível começou a se despir. Kemp deu três passos rápidos para a porta e o Homem Invisível imediatamente (suas pernas haviam desaparecido) pulou com um grito. Kemp escancarou a porta.

Assim que a porta abriu, veio um som de vozes de pés apressados no andar de baixo.

Com um movimento rápido, Kemp empurrou o Homem Invisível para trás, saltou para o lado e bateu a porta. A chave estava do lado de fora e pronta. Em outro momento, Griffin teria ficado sozinho no escritório do terraço, um prisioneiro. Exceto por uma pequena coisa. A chave havia sido colocada às pressas naquela manhã. Quando Kemp bateu a porta, ela caiu ruidosamente no tapete.

O rosto de Kemp ficou branco. Ele tentou agarrar a maçaneta da porta com ambas as mãos. Por um momento, aguentou puxar. Então a porta abriu uns 15 centímetros, mas ele a fechou novamente. Na segunda vez, foi puxada com um pé largo, e o roupão veio se encaixando na abertura. Sua garganta foi pega por dedos invisíveis, e ele deixou de segurar a maçaneta para se defender. Ele acabou forçado para trás, tropeçou e foi lançado com violência para o canto do patamar. O roupão vazio foi arremessado em cima dele.

No meio da escada estava o coronel Adye, o destinatário da carta de Kemp, chefe da polícia de Burdock. Ele observou horrorizado o aparecimento súbito de Kemp, seguido pela visão extraordinária de roupas vazias lançadas no ar. Ele viu Kemp caído e lutando para ficar de pé. Ele o viu correr para a frente e cair novamente, derrubado como um boi.

Então, de repente, Adye foi atacado de forma brutal. Por nada! Um peso enorme, parecia, pulou sobre ele, e ele foi arremessado de cabeça escada abaixo, com um aperto na garganta e uma joelhada na virilha. Um pé invisível pisou em suas costas, um tamborilar fantasmagórico passou escada abaixo, ele ouviu os dois policiais no *hall* gritarem e correrem, e a porta da frente da casa bateu violentamente.

Ele rolou e sentou-se observando. Viu Kemp, cambaleando escada abaixo, sujo e despenteado, um lado do rosto livre de um golpe, o lábio sangrando, um roupão rosa e roupas íntimas nos braços.

– Meu Deus! – gritou Kemp. – O jogo acabou! Ele se foi.

A CAÇADA AO HOMEM INVISÍVEL

Por um tempo, Kemp ficou muito confuso para fazer Adye entender a rápida sucessão de fatos que haviam acabado de acontecer. Eles estavam no patamar, Kemp falando rapidamente, as faixas grotescas de Griffin ainda em seu braço. Mesmo assim, Adye logo começou a compreender algo da situação.

– Ele está louco – disse Kemp –, desumano. Ele é puro egoísmo. Não pensa em nada além de sua própria vantagem, sua própria segurança. Esta manhã eu ouvi a história de um egoísta brutal... Feriu homens e os matará, a menos que possamos impedi-lo. Ele vai provocar um pânico. Nada pode pará-lo. Está saindo agora, furioso!

– Ele deve ser pego – disse Adye. – Isso é certo.

– Mas como...? – gritou Kemp, e de repente ficou cheio de ideias. – Você deve começar imediatamente. Deve colocar todo homem disponível para trabalhar; deve impedir que ele saia deste distrito. Uma vez longe daqui, ele pode atravessar o interior como quiser, matando e mutilando. Ele sonha com um reino de terror! Um reino de terror, eu lhe digo. Você deve montar guarda em trens, estradas e navios. O exército deve ajudar. Você deve telegrafar para obter ajuda. A única coisa que pode mantê-lo aqui é a intenção de recuperar alguns livros de notas que ele considera valiosas. Eu vou lhe falar sobre isso! Há um homem em sua delegacia – Marvel.

– Eu sei – disse Adye –, eu sei. Esses livros, sim. Mas o vagabundo...

– Diz que não os tem. Mas ele acha que o vagabundo tem. E você deve impedi-lo de comer ou dormir; dia e noite devemos estar preparados para ele. A comida deve ser trancada e protegida, toda a comida, para que ele tenha que arrombar portas até ela. As casas, em todos os lugares, devem ser trancadas para ele. Que Deus envie-nos noites frias e chuva! Todo o país deve começar a caçar e continuar caçando. Eu lhe digo, Adye, ele é um perigo, um desastre; a menos que esteja imobilizado e preso, é assustador pensar nas coisas que podem acontecer.

– O que mais podemos fazer? – disse Adye. – Eu preciso descer imediatamente para a delegacia e começar a organizar. Então, por que não vem? Sim, você vem também! Venha, e podemos realizar uma espécie de conselho de guerra: pedir ajuda a Hopps e aos gerentes das ferrovias. Por Deus! é urgente. Venha, me diga como vamos fazer. O que mais podemos fazer? Anote tudo.

Logo depois, Adye estava liderando o caminho escada abaixo. Encontraram a porta da frente aberta e os policiais parados do lado de fora, fitando o ar vazio.

– Ele escapou, senhor – disse um deles.

– Precisamos ir à estação central imediatamente – disse Adye. – Um de vocês desça e apanhe uma carruagem para vir nos encontrar, rápido. E agora, Kemp, o que mais?

– Cães – disse Kemp. – Consiga cães. Eles não o veem, mas o farejam. Consiga cães.

– Bom – disse Adye. – Não é de conhecimento geral, mas os oficiais da prisão em Halstead conhecem um homem com cães de caça. Cães. O que mais?

– Tenha em mente – disse Kemp –, que a comida dele aparece. Depois de comer, sua comida aparece até ser assimilada. Desse modo, ele tem que se esconder depois de comer. Você deve continuar a busca. Cada matagal, cada canto silencioso. E guarde todas as armas, todos os instrumentos que possam ser armas. Ele não pode carregar essas coisas por muito tempo. E o que ele puder pegar para com isso atacar os homens deve ser escondido.

– Bom, mais uma vez – disse Adye. – Nós ainda o teremos!

– E nas ruas – disse Kemp, e hesitou.

– Sim? – disse Adye.

– Vidro triturado – disse Kemp. – É cruel, eu sei. Mas pense no que ele pode fazer!

Adye puxou o ar entre os dentes.

– É jogo sujo. Não sei. Contudo, terei o vidro triturado pronto. Se ele for longe demais...

– O homem tornou-se desumano, eu lhe digo – Kemp falou. – Tão logo ele consiga superar as emoções dessa fuga, tenho certeza de que ele estabelecerá um reino de terror tanto quanto tenho certeza de que estou falando com você. Nossa única chance é estar à frente. Ele se isolou de sua espécie. Fez sua escolha, que arque com as consequências.

O ASSASSINATO DE WICKSTEED

O Homem Invisível parece ter saído correndo da casa de Kemp em um estado de fúria cega. Uma criancinha brincando perto da portão de Kemp foi violentamente pega e jogada de lado, de modo que seu tornozelo foi quebrado e, depois disso, por algumas horas, o Homem Invisível desapareceu das percepções humanas. Ninguém sabe para onde ele foi nem o que ele fez. Mas pode-se imaginá-lo correndo pela quente manhã de junho, subindo a colina e seguindo para a planície aberta atrás de Port Burdock, furioso e desesperado com seu inaceitável destino; e, finalmente, se abrigando, aquecido e cansado, em meio às matas de Hintondean, para reconstituir seus planos arruinados contra a humanidade. Esse parece o refúgio mais provável para ele, pois foi lá que se reafirmou de uma maneira sombriamente trágica por volta das duas da tarde.

Alguém pode se perguntar: qual poderia ter sido seu estado de espírito durante esse tempo? E quais planos ele elaborou? Sem dúvida, ele estava quase enlouquecido de fúria com a traição de Kemp; e, embora sejamos capazes de entender os motivos que o levaram a montar essa armadilha, ainda podemos imaginar e até simpatizar um pouco com a fúria que a tentativa de capturá-lo deve ter causado. Talvez algo do atordoado assombro de suas experiências na Oxford

Street possa ter retornado a ele, pois era evidente que tinha contado com a cooperação de Kemp em seu sonho brutal de um mundo aterrorizado. De qualquer forma, ele desapareceu da percepção humana por volta do meio-dia, e nenhuma testemunha viva pode dizer o que ele fez até cerca das duas e meia. Talvez tenha sido uma sorte para a humanidade, mas para ele foi uma inércia fatal.

Durante esse período, uma multidão crescente de homens espalhados pelo campo estava ocupada. De manhã, ele ainda era simplesmente uma lenda, um terror; à tarde, em virtude principalmente da proclamação em palavras duras de Kemp, ele foi apresentado como um adversário tangível, a ser ferido, capturado ou vencido, e o campo começou a se organizar com inconcebível rapidez. Às duas horas, ele ainda poderia ter se retirado do distrito a bordo de um trem, mas, depois das duas, isso se tornou impossível. Todos os trens de passageiros ao longo das linhas, em um grande paralelogramo entre Southampton, Manchester, Brighton e Horsham, viajavam com portas trancadas, e o tráfego de mercadorias foi quase totalmente suspenso. E em um grande círculo de 32 quilômetros em volta de Port Burdock, homens equipados com armas e porretes logo partiriam em grupos de três e quatro, com cães, para rondar estradas e campos.

Policiais montados cavalgavam pelas ruas do país, parando em cada cabana e advertindo as pessoas a trancarem suas casas e ficarem dentro delas, a menos que estivessem armados; todas as escolas primárias tinham encerrado as aulas às três horas, e as crianças, assustadas e mantendo-se em grupos, foram correndo para casa. A denúncia de Kemp, assinada de fato por Adye, foi publicada em quase todo o distrito por volta de quatro ou cinco horas da tarde. Esta forneceu de forma breve, mas clara, todas as condições do conflito, a necessidade de impedir o Homem Invisível de comer e dormir, a necessidade de vigilância incessante e de atenção imediata a qualquer evidência de seus movimentos. E tão rápida e decidida foi a ação das autoridades, tão rápida e universal foi a crença nesse ser estranho, que antes do anoitecer, uma área de várias centenas de quilômetros quadrados estava em um rigoroso estado de sítio. E também antes do anoitecer, uma sensação de horror percorreu todo o vigilante e nervoso campo. Sussurrando de boca em boca, a história do assassinato do sr. Wicksteed percorreu, rápida e certeira, toda a extensão e largura do país.

Se nossa suposição de que o refúgio do Homem Invisível era o bosque de Hintondean, então devemos supor que no início da tarde ele partiu novamente, empenhado em algum projeto que envolvia o uso de uma arma. Não podemos saber qual era o projeto, mas a evidência de que ele tinha a barra de ferro na mão antes de encontrar Wicksteed é, para mim pelo menos, devastadora.

Naturalmente, nada podemos saber dos detalhes desse encontro. Ocorreu na beira de uma pedreira, a menos de duzentos metros do portão da propriedade de lorde Burdock. Tudo aponta para uma luta desesperada, o chão pisoteado, as numerosas feridas que o sr. Wicksteed recebeu, sua bengala lascada; mas por que o ataque foi feito, exceto em um frenesi assassino, é impossível imaginar. De fato, a teoria da loucura é quase inevitável. O sr. Wicksteed era um homem de quarenta e cinco ou quarenta e seis anos, mordomo do lorde Burdock, de hábitos e aparência inofensivos, a última pessoa no mundo a provocar um adversário tão terrível. Contra ele parecia que o Homem Invisível usou uma barra de ferro arrancada de uma cerca quebrada. Ele parou esse homem calmo, que ia silenciosamente para casa almoçar, atacou-o, derrotou suas fracas defesas, quebrou seu braço, derrubou-o e esmagou sua cabeça, deixando-a como uma geleia.

Obviamente, ele deve ter tirado essa barra da cerca antes de encontrar sua vítima, devia estar preparado carregando-a na mão. Além do que já foi afirmado, apenas dois detalhes parecem ter relação com o assunto. Uma é a circunstância de que a pedreira não estava no caminho direto do sr. Wicksteed para casa, mas a algumas centenas de metros de seu caminho. A outra é a afirmação de uma garotinha que, indo para a escola vespertina, viu o homem assassinado "trotando" de uma maneira peculiar pelo campo em direção à pedreira. A representação da ação sugere um homem perseguindo algo no chão diante dele e golpeando cada vez mais com sua bengala. Ela foi a última pessoa a vê-lo vivo. Ele desapareceu da vista dela até sua morte, mesmo que apenas uma moita de faias e uma ligeira depressão no chão escondesse o embate.

Agora isso, pelo menos para a mente do escritor atual, tira o assassinato da esfera dos absolutamente devassos. Podemos imaginar que Griffin havia pegado a barra como uma arma de fato, mas sem qualquer intenção deliberada de usá-la em assassinato. Wicksteed pode então ter vindo e notado essa barra se movendo de maneira inexplicável no ar. Sem pensar no Homem Invisível, pois Port Burdock fica a dezesseis quilômetros de distância, ele pode tê-la perseguido. É perfeitamente concebível que ele nem tenha ouvido falar do Homem Invisível. Pode-se, então, imaginar o Homem Invisível fugindo, silenciosamente, a fim de evitar a descoberta de sua presença na vizinhança; e Wick como um cavalo em disparada, empolgado e curioso, perseguindo esse objeto inexplicável que se locomovia, finalmente atacando-o.

Sem dúvida, o Homem Invisível poderia facilmente ter se distanciado seu perseguidor de meia-idade em circunstâncias comuns, mas a posição em que o corpo de Wicksteed foi encontrado sugere que ele teve a terrível ideia de levar sua vítima a um canto entre um amontoado de urtigas espinhosas e a pedreira. Para aqueles que apreciam a extraordinária irritabilidade do Homem Invisível, o resto do encontro será fácil de imaginar.

Mas isso é pura hipótese. Os únicos fatos inegáveis, pois as histórias de crianças geralmente não são confiáveis, são a descoberta do corpo de Wicksteed, ferido até a morte, e da barra de ferro manchada de sangue largada entre as urtigas. O abandono da barra por Griffin sugere que, na excitação emocional do momento, o propósito para o qual ele a adotou, se ele tivesse um propósito, foi abandonado. Certamente, ele era um homem intensamente egoísta e insensível, mas a visão de sua vítima, sua primeira vítima, sangrenta e lamentável a seus pés, pode ter liberado uma longa e reprimida fonte de remorso, que por um tempo teria afogado qualquer esquema de ação que ele tivesse tramado.

Após o assassinato do sr. Wicksteed, ele parece ter atravessado o campo em direção à planície. Há uma história de uma voz ouvida no pôr do sol por dois homens em um campo perto de Fern Bottom. Estava lamentando e rindo, soluçando e gemendo, e novamente, como sempre, gritava. Deve ter sido estranho ouvi-la. Ela atravessou o meio de um campo de trevo e desfaleceu em direção às colinas.

Naquela tarde, o Homem Invisível deve ter aprendido algo sobre o rápido uso que Kemp havia feito de suas confidências. Deve ter encontrado casas trancadas e protegidas; vagando pelas estações ferroviárias e rodando hospedarias, e sem dúvida deve ter lido a denúncia e percebido algo da natureza da campanha contra ele. E, à medida que a noite avançava, os campos tornavam-se pontilhados aqui e ali com grupos de três ou quatro homens e barulhentos com o latido de cães. Esses caçadores de homens tinham instruções particulares sobre o modo como deveriam agir no caso de um encontro. Mas ele evitou todos eles. Podemos entender algo de sua exasperação, e isso não poderia ser diferente, porque ele próprio havia fornecido as informações que estavam sendo usadas tão impiedosamente contra sua pessoa. Pelo menos naquele dia, Griffin perdeu o ânimo; por quase vinte e quatro horas, exceto quando golpeara Wicksteed, ele era um homem caçado. À noite, deve ter comido e dormido; pois de manhã estava novamente ativo, poderoso, irado e maligno, preparado para sua última grande luta contra o mundo.

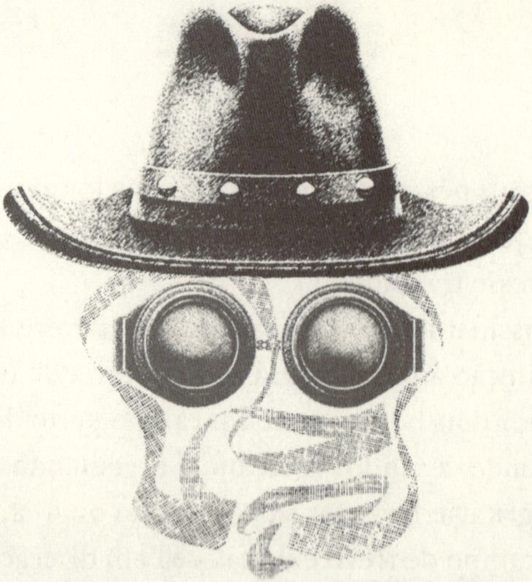

O CERCO À CASA DE KEMP

Kemp leu uma estranha mensagem, escrita a lápis em uma folha de papel gordurosa.

Você tem sido incrivelmente enérgico e inteligente – a carta dizia –, embora eu não possa imaginar o que você tem a ganhar com isso. Você está contra mim. Por um dia inteiro você me perseguiu; tentou me roubar o descanso de uma noite. Mas eu consegui comida apesar disso, eu dormi apesar disso, e o jogo está apenas começando. O jogo está apenas começando. Não há alternativa, senão começar o Terror. Isto anuncia o primeiro dia do Terror. Port Burdock já não está sob o poder da Rainha, diga ao seu coronel de polícia, e ao resto deles; está sob o meu poder, o do Terror! Este é o primeiro dia do ano da nova época: a Era do Homem Invisível. Eu sou o Homem Invisível I. Para começar, a regra será fácil. No primeiro dia, haverá uma execução, por exemplo, um homem chamado Kemp. A morte começa hoje para ele. Ele pode se trancar, esconder, colocar guardas sobre ele, vestir uma armadura se quiser, a Morte, a Morte invisível, está chegando. Deixe-o tomar precauções; isso vai impressionar meu povo. A morte começa na caixa de correio, ao meio-dia. A carta vai cair quando o carteiro aparecer, então, fora! O jogo começa. A Morte começa. Não o ajude, meu povo, para que a Morte não caia sobre você também. Hoje Kemp vai morrer.

Kemp leu a carta duas vezes.

– Não é nenhum trote – ele disse. – Essa é a voz dele! E ele está falando sério.

Virou a folha dobrada e viu, no lado endereçado, o carimbo do correio de Hintondean, e o detalhe prosaico "20 centavos a cobrar".

Levantou-se lentamente, deixando seu almoço inacabado, a carta tinha chegado pelo correio da uma da tarde, até seu escritório. Chamou sua governanta, e disse-lhe para circundar a casa imediatamente, examinar todos os fechos das janelas e fechar todas as persianas. Ele mesmo fechou as persianas de seu escritório. De uma gaveta trancada em seu quarto, pegou um pequeno revólver, examinou-o cuidadosamente, e o colocou no bolso de seu paletó. Escreveu uma série de notas breves, uma para o Coronel Adye, entregou-as a sua criada para levá-las, com instruções explícitas quanto à maneira de ela sair da casa.

– Não há perigo – disse ele, e acrescentou em uma reserva mental – para você.

Permaneceu meditativo por um tempo depois de fazer isso, e então voltou para o seu almoço que estava esfriando.

Comeu com pensamentos entrecortados. Finalmente, bateu na mesa de maneira brusca.

– Nós o teremos – disse ele –, e eu sou a isca. Ele vai longe demais.

Ele subiu ao terraço, fechando cuidadosamente cada porta atrás dele.

– É um jogo – ele falou –, um jogo estranho, mas as chances estão todas a meu favor, sr. Griffin, apesar da sua invisibilidade. Griffin *contra mundum*[13]... com uma vingança.

Ficou parado na janela, fitando a colina ensolarada.

– Ele deve conseguir comida todos os dias, e eu não o invejo. Ele realmente dormiu a noite passada? Em algum lugar aberto, seguro de colisões. Gostaria que tivéssemos um bom clima frio e úmido ao invés do calor.

13 "Contra o mundo". (N. R.)

– Ele pode estar me observando agora.

Kemp aproximou-se da janela. Algo bateu habilmente contra a alvenaria sobre a moldura, e o fez começar a voltar violentamente.

– Estou ficando nervoso – disse Kemp.

Ainda assim, cinco minutos depois, ele foi para a janela novamente.

– Deve ter sido um pardal – disse.

Em seguida, ouviu a campainha da porta da frente tocando e correu escada abaixo. Destravou e destrancou a porta, examinou a corrente, colocou-a para cima, e abriu cautelosamente sem se mostrar. Uma voz familiar o saudou. Era Adye.

– Sua criada foi agredida, Kemp – ele disse da porta.

– O quê? – exclamou Kemp.

– Teve aquele seu bilhete tirado dela. Ele está por aqui. Deixe-me entrar.

Kemp liberou a corrente, e Adye entrou por uma abertura tão estreita quanto possível. Ele estava no *hall*, olhando com infinito alívio para Kemp fechando a porta novamente.

– O bilhete foi arrancado da mão dela. Deixou-a muito assustada. Ela está abatida na delegacia. Histérica. Ele está aqui perto. Do que se tratava?

Kemp xingou.

– Que tolo eu fui – disse Kemp. – Eu devia ter sabido. Não leva uma hora de caminhada até Hintondean. Correto?

– O que se passa? – perguntou Adye.

– Olhe aqui! – disse Kemp, e abriu caminho para seu escritório. Ele entregou a Adye a carta do Homem Invisível. Adye a leu e assobiou suavemente.

– E você...? – Adye falou.

– Propus uma armadilha, como um tolo – disse Kemp –, e enviei minha proposta por uma criada. Para ele.

Adye seguiu a profanidade de Kemp.

– Ele vai fugir – disse Adye.

– Não – disse Kemp.

Um retumbante estrondo de vidro veio do andar de cima. Adye teve um vislumbre prateado de um pequeno revólver meio fora do bolso de Kemp.

– É uma janela, lá em cima! – disse Kemp, e abriu caminho escada acima. Veio um segundo estrondo enquanto eles ainda estavam na escada. Quando chegaram ao escritório, encontraram duas das três janelas despedaçadas, metade da sala cheia de estilhaços de vidro, e uma grande pedra sobre a mesa de escrever. Os dois homens pararam na entrada, contemplando os destroços. Kemp xingou novamente, e enquanto isso, a terceira janela, com um estalido como de uma pistola, rachou formando uma estrela por um momento, e desabou em triângulos irregulares e trêmulos dentro da sala.

– Por que ele está fazendo isso? – perguntou Adye.

– É só o começo – respondeu Kemp.

– Não há como subir aqui?

– Nem um gato conseguiria – disse Kemp.

– Nenhuma persiana?

– Aqui não. Mas em todos os quartos do andar de baixo... Opa!

Um estrondo, e então o estalo de tábuas batendo com força veio do andar de baixo.

– Maldito seja! – disse Kemp. – Isso deve ser... sim, é um dos quartos. Ele vai fazer isso na casa toda. Mas ele é um idiota. As persianas estão fechadas, e o vidro vai cair do lado de fora. Ele vai cortar os pés.

Outra janela proclamou a sua destruição. Os dois homens ficaram parados perplexos no patamar.

– Já sei! – disse Adye. – Deixe-me pegar um pedaço de pau ou algo assim, e eu vou até a delegacia e busco os cães de caça. Isso deve liquidá-lo! Eles estão perto... nem dez minutos...

Outra janela seguiu o caminho de suas companheiras.

– Você não tem um revólver? – perguntou Adye.

A mão de Kemp foi para o seu bolso. Então, ele hesitou.

– Eu não tenho... No mínimo, um de reserva.

– Eu vou trazê-lo de volta – disse Adye –, você estará seguro aqui.

Kemp, envergonhado de seu lapso momentâneo da sinceridade, entregou a arma para ele.

– Agora para a porta – disse Adye.

Enquanto estavam hesitantes no *hall*, eles ouviram uma das janelas do primeiro andar do quarto se quebrar. Kemp foi até a porta e começou a deslizar os ferrolhos o mais silenciosamente possível. Seu rosto estava um pouco mais pálido do que o normal.

– Você tem que sair de uma vez – disse Kemp.

Imediatamente, Adye estava no vão da porta e os ferrolhos estavam de volta no grampo. Ele hesitou por um momento, sentindo-se mais confortável com suas costas contra a porta. Então marchou, erguido e alinhado, descendo os degraus. Atravessou o gramado e se aproximou do portão. Uma pequena brisa parecia ondular sobre a grama. Alguma coisa se moveu perto dele.

– Pare um pouco – disse uma voz, e Adye estacou e sua mão apertou o revólver.

– Sim? – Adye falou, branco e sinistro, cada nervo tenso.

– Faça-me o favor de voltar para a casa – disse a voz, tão tensa e sinistra quanto a de Adye.

– Perdão – disse Adye um pouco rouco, e umedeceu os lábios com a língua. A voz estava à esquerda na frente dele, ele pensou. Suponha que tivesse sorte com um tiro?

– Aonde você está indo? – disse a voz, e houve um movimento rápido dos dois, e um raio de sol brilhou pela abertura do bolso de Adye.

Adye desistiu e pensou.

– Aonde eu vou – ele falou devagar – é da minha conta.

As palavras ainda estavam em seus lábios quando um braço cercou seu pescoço, suas costas sentiram um joelho, e foi jogado para trás. Ele puxou a arma desajeitadamente e disparou de maneira absurda, e em seguida, ele foi atingido na boca e o revólver foi arrancado de seu punho. Agarrou em vão um membro escorregadio, tentou lutar e caiu para trás.

– Maldito! – disse Adye.

A voz riu.

– Eu te mataria agora se não fosse o desperdício de uma bala – falou.

Ele viu o revólver no meio do ar, a dois metros de distância, apontando para ele.

– Bem? – disse Adye, sentando.

– Levante-se – disse a voz.

Adye levantou-se.

– Atenção – disse a voz, e continuou ferozmente. – Não tente nenhum jogo. Lembre-se de que eu posso ver seu rosto, mas você não pode ver o meu. Você tem que voltar para a casa.

– Ele não vai me deixar entrar – disse Adye.

– É uma pena – disse o Homem Invisível. – Eu não tenho nada contra você.

Adye umedeceu os lábios de novo. Ele vislumbrou além do cano do revólver e viu o mar bem longe, muito azul e escuro sob o sol do meio-dia, o verde tranquilo abaixo, o penhasco branco do Head, e a multitudinária cidade, e de repente soube que a vida era muito doce. Seus olhos voltaram para esta pequena coisa de metal pendurada entre o céu e a terra, a pouco mais de cinco metros de distância.

– O que devo fazer? – ele disse de repente.

– "O que devo fazer?" – perguntou o Homem Invisível. – Você estava indo pedir ajuda. A única coisa a fazer é voltar.

– Vou tentar. Se ele me deixar entrar, você promete não avançar na porta?

– Eu não tenho nada contra você – disse a voz.

Kemp tinha corrido escadas acima depois de deixar Adye sair, e agora, agachando-se entre os vidros quebrados e espreitando cautelosamente da borda do parapeito da janela do escritório, ele viu Adye parado discutindo com o Invisível.

– Por que ele não atira? – sussurrou Kemp para si mesmo.

Então, o revólver se moveu um pouco e o brilho da luz do sol refletiu nos olhos de Kemp. Ele sombreou seus olhos e tentou ver a fonte do feixe de luz ofuscante.

– Certamente! – disse ele. – Adye entregou o revólver.

– Prometa não avançar na porta – Adye estava dizendo. – Não exagere, você venceu. Dê uma chance a um homem.

– Você volta para a casa. Eu digo-lhe terminantemente que não vou prometer nada.

A decisão de Adye parecia ter sido tomada de repente. Ele virou-se para a casa, andando devagar com as mãos atrás dele. Kemp observou-o intrigado. O revólver desapareceu, brilhou novamente à vista, desapareceu novamente, e se tornou evidente, em uma análise mais minuciosa, como um pequeno objeto escuro seguindo Adye. Então as coisas aconteceram muito rapidamente. Adye saltou para trás, voltou-se bruscamente, agarrou esse pequeno objeto, errou, levantou as mãos e caiu para a frente, deixando no ar uma pequena baforada azul. Kemp não ouviu o som do tiro. Adye contorceu-se, levantou-se em um braço, caiu para a frente e deitou imóvel.

Por um tempo, Kemp permaneceu olhando fixamente para a silenciosa atitude descuidada de Adye. A tarde estava muito quente e quieta, nada parecia comovente em todo o mundo, exceto um par de borboletas amarelas correndo uma atrás da outra pelos arbustos entre a casa e o portão da estrada. Adye estava deitado no gramado perto do portão. As cortinas de todos os chalés da estrada da colina abaixo foram fechadas, mas em uma pequena casa verde de verão estava uma figura branca, aparentemente um velho adormecido. Kemp examinou minuciosamente os arredores da casa em busca de um vislumbre do revólver, mas ele havia desaparecido. Seus olhos voltaram para Adye. O jogo estava começando bem.

Então, a campainha tocou e veio uma batida na porta da frente, que foi crescendo tumultuada, mas de acordo com as instruções de Kemp, os criados se trancaram em seus quartos. Seguiu-se um silêncio. Kemp sentou-se ouvindo e, então, começou a espreitar cautelosamente pelas três janelas, uma após a outra. Foi até o topo da escadaria e ficou ouvindo apreensivamente. Armou-se com o atiçador de brasas do seu quarto e foi examinar de novo os fechos interiores das janelas do piso térreo. Tudo estava seguro e silencioso.

Voltou para o terraço. Adye jazia imóvel sobre o cascalho, do mesmo jeito como havia caído. Ao longo da estrada, junto aos chalés, estavam a criada e dois policiais.

Tudo estava mortalmente parado. As três pessoas pareciam muito lentas na aproximação. Perguntava-se o que seu adversário estava fazendo.

Ele se sobressaltou. Houve um estrondo vindo de baixo. Hesitou e desceu as escadas novamente. De repente, a casa ressoou com golpes fortes e o despedaçar de madeira. Ouviu um estrondo e o retinir destrutivo dos fechos de ferro das persianas. Ele virou a chave e abriu a porta da cozinha. Ao fazer isso, as persianas, divididas e despedaçadas, vieram voando para dentro. Ficou horrorizado. A moldura da janela, exceto por uma barra transversal, ainda estava intacta, mas apenas pequenos dentes de vidro permaneceram nela. As persianas haviam sido forçadas com um machado, e agora o machado estava descambando em golpes generalizados sobre a moldura da janela e as barras de ferro que a protegiam. Então, de repente, o machado saltou para o lado e desapareceu. Viu o revólver deitado no caminho do lado de fora, e então a pequena arma pulou para o ar. Esquivou-se para trás. O revólver estalou um pouco atrasado, e um estilhaço da borda da porta passou rente por cima da cabeça dele. Bateu e trancou a porta, e enquanto estava do lado de fora ouviu Griffin gritando e rindo. Então, os golpes do machado foram retomados, com consequentes rachaduras e destruição.

Kemp parou no corredor tentando pensar. Em um momento, o Homem Invisível estaria na cozinha. Essa porta não o manteria por muito tempo, e então...

Veio uma campainha na porta da frente de novo. Deveriam ser os policiais. Kemp correu para o *hall*, colocou a corrente e retirou os ferrolhos. Fez a garota falar antes de suspender a corrente, e as três pessoas esbarraram em uma pilha de lixo ao entrar na casa e Kemp bateu a porta novamente.

– O Homem Invisível – disse Kemp. – Ele tem um revólver, com dois tiros... à esquerda. Ele matou Adye. Atirou nele sem motivo. Vocês não o viram no gramado? Ele está deitado lá.

– Quem? – disse um dos policiais.

– Adye – Kemp falou.

– Nós viemos pelo caminho de trás – disse a garota.

– O que é esse estrondo? – perguntou um dos policiais.

– Ele está na cozinha... ou estará. Ele encontrou um machado...

De repente, a casa estava repleta dos golpes retumbantes do Homem Invisível na porta da cozinha. A garota olhou fixamente para a cozinha, tremeu e retirou-se para a sala de jantar. Kemp tentou explicar em frases fragmentadas. Eles ouviram a porta da cozinha quebrar.

– Por aqui – disse Kemp, entrando em ação, e enfiou os policiais às pressas porta adentro na sala de jantar.

– O atiçador – disse, correndo para o guarda-fogo.

Ele entregou o atiçador que havia pegado a um policial e um da sala de jantar para outro. De repente, ele se jogou para trás.

– Opa! – disse um policial, abaixando-se rapidamente e contendo o machado com seu atiçador.

A pistola disparou seu penúltimo tiro e rasgou um valioso Sidney Cooper[14]. O segundo policial acertou a pequena arma com seu atiçador, como quem mata uma vespa, fazendo-a girar pelo chão.

No primeiro confronto, a empregada gritou, e continuou gritando por um bom tempo junto à lareira, e então correu para as janelas, possivelmente, com a ideia de escapar por ali.

O machado recuou para o corredor e caiu a uma altura de cerca de sessenta centímetros do chão. Eles conseguiam ouvir o Homem Invisível respirando.

– Afastem-se, vocês dois – falou. – Eu quero só aquele homem, Kemp.

– E nós queremos você – disse o primeiro policial, dando um rápido passo para a frente e acertando a voz com seu atiçador.

---

14 Pintor de paisagens inglês conhecido por suas imagens de gado e animais de fazenda. (N.T.)

O Homem Invisível deve ter saltado para trás, pois derrubou o porta guarda-chuva.

Então, enquanto o policial cambaleou com o movimento do golpe no vazio, o Homem Invisível contra-atacou com o machado, e o capacete amassou como papel, em um golpe que derrubou o homem que foi girando, girando no chão da cozinha, até perto da escada. Mas o segundo policial, mirando atrás do machado com seu atiçador, bateu em algo macio que estalou. Houve uma exclamação aguda de dor e, então, o machado caiu no chão. O policial acertou novamente no vazio, mas não bateu em nada, pisou no machado e bateu de novo. Resolveu ficar parado, empunhando o atiçador como um cassetete, escutando atentamente o menor movimento.

Ouviu a janela da sala de jantar se abrir, e uma rápida corrida de pés lá dentro. Seu companheiro rolou e sentou-se, com o sangue correndo entre seus olhos e ouvidos.

– Onde está ele? – perguntou o homem no chão.

– Não sei. Eu o acertei. Ele está parado em algum lugar no *hall*. A menos que ele tenha passado por você. Doutor Kemp... senhor.

Pausa.

– Doutor Kemp! – gritou o policial de novo.

O policial ferido se esforçou para se levantar. De repente, passadas indistintas de pés descalços nas escadas da cozinha puderam ser ouvidas.

– Iaaa! – gritou o primeiro policial, e lançou seu atiçador, que despedaçou uma pequena luminária.

Ele fez menção de seguir o Homem Invisível escada abaixo. Então, pensou melhor e foi para a sala de jantar.

– Doutor Kemp... – ele começou, e parou em breve.

– Doutor Kemp é um herói – ele falou, enquanto seu parceiro olhava por cima do ombro.

A janela da sala de jantar estava bem aberta, e nem a criada nem Kemp podiam ser vistos.

A opinião do segundo policial sobre Kemp foi mais concisa e realista.

O CAÇADOR CAÇADO

O sr. Heelas, o vizinho mais próximo do dr. Kemp entre os proprietários da vila, estava dormindo em sua casa de veraneio quando o cerco à casa de Kemp começou. O sr. Heelas era um dos que, entre a resistente minoria, se recusara a acreditar "em toda essa bobagem" sobre um Homem Invisível. Sua esposa, no entanto, como ele seria lembrado posteriormente, acreditava. Ele insistiu em andar pelo jardim como se nada estivesse acontecendo e foi dormir à tarde, de acordo com o costume de anos. Ainda estava dormindo quando houve o estrondo das janelas e o acordou de repente, com uma curiosa crença de que havia algo errado. Olhou para a casa de Kemp, esfregou os olhos e olhou novamente. Então, pôs os pés no chão e ficou sentado ouvindo. Ele pensou não estar bem da cabeça, pois o que via era a coisa estranha. A casa parecia abandonada há semanas, depois de um tumulto violento. Todas as janelas estavam quebradas, e todas as janelas, exceto as do escritório do terraço, estavam vendadas pelas persianas internas.

– Eu poderia jurar que estava tudo bem – ele olhou para o relógio – há uns vinte minutos.

Então, ouviu um barulho de pancada e de vidro quebrando, ao longe. E, até então sentado e de boca aberta, veio uma coisa ainda mais impressionante. As persianas da janela da sala de estar foram lançadas violentamente, e a criada, em seu chapéu e roupa de sair, parecia lutar de uma maneira frenética para tirar as esquadrias. De repente, um homem apareceu ao lado dela, ajudando-a – o dr. Kemp! Em seguida, a janela se abriu e a criada estava lutando para sair; ela se lançou para a frente e desapareceu entre os arbustos. O sr. Heelas se levantou, exclamando vaga e veementemente diante de todas essas coisas impressionantes. Ele viu Kemp parado no parapeito, saltando da janela e reaparecendo quase imediatamente em uma corrida por um caminho entre os arbustos e curvando-se enquanto corria, como um homem que foge da observação. Ele desapareceu atrás de um laburno e reapareceu escalando uma cerca que ficava ao ar livre. Em um segundo, ele caiu e estava correndo em passadas enormes descendo a ladeira em direção ao sr. Heelas.

– Meu Deus! – gritou o sr. Heelas, impactado. – É aquele bruto do Homem Invisível ! É verdade, afinal!

Para o sr. Heelas coisas assim demandavam ação, e sua cozinheira, observando-o da janela de cima, ficou espantada ao ver Kemp vir correndo em direção à casa a uns bons quinze quilômetros por hora. Houve um bater de portas, um toque de campainha e a voz do sr. Heelas berrando como um touro.

– Fechem as portas, fechem as janelas, fechem tudo! O Homem Invisível está chegando!

Imediatamente, a casa estava cheia de gritos e instruções e pés correndo. Ele mesmo correu para fechar as janelas francesas que se abriam na varanda; ao fazê-lo, a cabeça, os ombros e o joelho de Kemp apareceram por cima da cerca do jardim. Um pouco antes, Kemp havia aberto caminho entre os aspargos e corria pela quadra de tênis até a casa.

– Você não pode entrar – disse o sr. Heelas, fechando os ferrolhos. – Sinto muito se ele está atrás de você, mas você não pode entrar!

Kemp apareceu com uma expressão de terror perto do vidro, batendo e depois sacudindo freneticamente a janela francesa. Vendo que seus esforços eram inúteis, correu pela varanda, saltou para o fim e foi bater insistentemente na porta lateral. Então, correu do portão lateral para a frente da casa, e depois para a estrada da colina. E o sr. Heelas, fitando pela janela com um rosto de horror, mal havia testemunhado o desaparecimento de Kemp, antes que os aspargos fossem pisoteados de um lado a outro por pés invisíveis. Nesse momento, o sr. Heelas fugiu precipitadamente para o andar de cima, e o resto da perseguição está além de seu alcance. Mas quando ele passou pela janela da escadaria, ouviu o portão lateral bater violentamente.

Emergindo para a estrada da colina, Kemp naturalmente tomou a direção descendente, e foi assim que se viu fazendo a mesma corrida que assistira com um olhar tão crítico do escritório do terraço apenas quatro dias atrás. Ele correu bem, para um homem fora de forma, e embora seu rosto estivesse branco e molhado, seu juízo estava frio até o fim. Corria a passos largos, e onde quer que houvesse um terreno de terra áspera, onde quer que houvesse um terreno de pedras brutas ou um pouco de vidro quebrado brilhasse, ele o atravessava e deixava os pés nus invisíveis que o seguiam tomarem a reta que quisessem.

Pela primeira vez em sua vida, Kemp descobriu que a estrada da colina era indescritivelmente vasta e desolada, e que o início da cidade bem abaixo, no sopé da colina, era estranhamente remoto. Nunca houvera um método de progressão mais lento ou mais doloroso do que correr. Todos os chalés desolados, dormindo ao sol da tarde, pareciam trancados e barrados; sem dúvida estavam trancados e barrados, por suas próprias ordens. Mas de qualquer forma, deveriam ter mantido um posto de observação para uma eventualidade como essa! A cidade estava surgindo agora, o mar havia desaparecido atrás de sua vista e as pessoas lá embaixo estavam agitadas. Um bonde estava acabando de chegar ao pé da colina. Mais além, estava a delegacia. Seriam passos o que ele ouviu atrás de si? Correu novamente.

As pessoas lá embaixo olhavam para ele, uma ou duas estavam correndo, e sua respiração estava começando a ser vista em sua garganta. O bonde estava bem próximo agora, e o "Jolly Cricketers" estava ruidosamente barrando suas portas. Além do bonde, havia postes e montes de cascalho, o sistema de drenagem. Ele teve uma ideia transitória de pular dentro do bonde e bater as portas, mas resolveu ir para a delegacia. Em outro instante, havia passado pela porta do "Jolly Cricketers" e estava extremamente cansado no final da rua, com seres humanos à sua volta. O condutor do bonde e seu ajudante, capturados pela visão de sua furiosa pressa, ficaram olhando fixamente com os cavalos do bonde desatrelados. Mais adiante, operários atônitos apareceram acima dos montes de cascalho.

Seu ritmo diminuiu um pouco, e então ele ouviu o passo rápido de seu perseguidor e saltou para a frente novamente.

– O Homem Invisível! – ele gritou para os operários, com um vago gesto indicativo, e, por uma inspiração, saltou a escavação e colocou um grupo corpulento entre ele e a perseguição.

Depois de abandonar a ideia de ir para a delegacia, virou para uma pequena rua lateral, passou apressado pela carroça de um verdureiro, hesitou por um décimo de segundo na porta de uma loja de doces e depois dirigiu-se para a boca de uma viela que corria de volta para a estrada da colina. Duas ou três criancinhas estavam brincando ali, elas gritaram e se espalharam com sua aparição e, em seguida, portas e janelas se abriram e mães agitadas demonstraram aflição. Lá fora, ele se atirou novamente para a estrada da colina, a menos de trezentos metros do final da linha do bonde, e imediatamente tomou consciência de uma vociferação tumultuada e pessoas correndo.

Olhou de relance a rua em direção à colina. A pouco mais de dez metros dali corria um operário enorme, praguejando em fragmentos e talhando violentamente com uma pá, e bem atrás dele vinha o condutor do bonde com os punhos cerrados. Pela rua acima, outros seguiram esses dois, golpeando e gritando. Na direção da cidade, homens e mulheres estavam correndo, e ele notou claramente um homem saindo da porta de uma loja com uma bengala na mão.

– Dispersar! Dispersar! – gritou alguém.

Kemp de repente compreendeu a condição alterada da perseguição. Ele parou e olhou em volta, ofegando.

– Ele está aqui perto! – ele gritou. – Formem uma linha transversalmente...

Foi atingido com força debaixo da orelha e saiu cambaleando, tentando enfrentar seu adversário invisível. Mal conseguia manter-se de pé e golpeou no ar. Então, foi atingido novamente sob o maxilar e esparramou-se no chão. Em seguida, um joelho comprimiu seu diafragma e duas mãos ávidas apertaram sua garganta, mas o aperto de uma era mais fraco que o da outra; ele agarrou os pulsos, ouviu um grito de dor de seu agressor e, em seguida, a pá do operário veio girando pelo ar acima dele e golpeou algo com um baque surdo. Ele sentiu uma gota de umidade em seu rosto. O aperto em sua garganta subitamente relaxou e, com um esforço convulsivo, Kemp se livrou, agarrou um ombro frouxo e rolou por cima. Ele apertou os cotovelos invisíveis perto do chão.

– Eu o peguei! – gritou Kemp. – Socorro! Socorro, segurem! Ele caiu! Segure os pés dele!

Então, houve uma corrida do grupo para a luta, e um estranho passando pela rua poderia pensar que um jogo excepcionalmente selvagem de rúgbi estava em andamento. E não houve gritos após o grito de Kemp – apenas um som de golpes e chutes e respiração pesada.

Com um enorme esforço, o Homem Invisível repeliu um par de seus adversários e ficou de joelhos. Kemp agarrou-se a ele como um cão de caça a um cervo, e uma dúzia de mãos apertou, agarrou e dilacerou o Invisível. De repente, o condutor do bonde pegou o pescoço e os ombros e o arrastou para trás.

O monte de homens caiu lutando novamente e se desfez. Chutes animalescos foram desferidos por todos os lados. Então, de repente, ouviu-se um grito selvagem, que se apagou rapidamente em um som sufocante:

– Piedade! Piedade!

– Afastem-se, idiotas! – gritou a voz abafada de Kemp, e houve um vigoroso recuo daquelas formas robustas. – Ele está machucado, eu digo. Afastem-se!

Houve uma breve luta para abrir espaço, e então o círculo de rostos ávidos viu o médico se ajoelhando, ao que parecia, quase quarenta centímetros no ar, e segurando os braços invisíveis no chão. Atrás dele, um policial apertou os tornozelos invisíveis.

– Não o deixe fugir – exclamou o enorme operário, segurando uma pá ensanguentada – ele está fingindo.

– Ele não está fingindo – disse o médico, erguendo cautelosamente seu joelho. – E eu preciso levá-lo.

Seu rosto estava machucado e já estava ficando vermelho; e sua fala ficou arrastada por causa do lábio sangrando. Ele soltou uma mão e parecia estar apalpando o rosto.

– A boca está toda molhada – ele falou. E então – Bom Deus!

Ele se levantou abruptamente e ficou ajoelhado no chão ao lado da coisa invisível. Houve um empurra-empurra, um som de pés pesados, quando mais pessoas apareceram para aumentar a pressão popular. Muita gente saindo das casas. As portas do "Jolly Cricketers" se abriram. Quase ninguém falava.

Kemp percebeu sua mão parecendo atravessar ar vazio.

– Ele não está respirando – falou. – Eu não consigo sentir seu coração. O tórax... ugh!

Repentinamente, uma velha, espiando debaixo do braço do enorme operário, berrou.

– Olha lá! – ela falou, e esticou um dedo enrugado.

E olhando para onde ela apontava, todos viram, indistinto e transparente, como se fosse de vidro, o contorno de uma mão, uma mão frouxa e estendida, de modo que veias, artérias, ossos e nervos podiam ser vistos. Tornou-se nebulosa e opaca, à medida que eles observavam.

– Olha! – gritou o policial. – Aqui estão os pés dele aparecendo!

E assim, lentamente, começando pelas mãos e pelos pés e avançando por seus membros até os centros vitais do corpo, essa estranha mudança continuou. Era como a lenta propagação de um veneno. Primeiro, vieram os pequenos nervos brancos, um esboço indefinido de um membro. Depois, os ossos vítreos e as artérias intricadas. Em seguida, a carne e a pele, primeiro como uma leve bruma e então crescendo rapidamente, densa e opaca. Logo, era possível ver seu peito esmagado e seus ombros, e o contorno sombrio de suas feições abatidas e surradas.

Quando, finalmente, a multidão abriu caminho para que Kemp se levantasse; ali jazia, nu e penosamente no chão, o corpo machucado e quebrado de um jovem com cerca de trinta anos. Seu cabelo e sobrancelhas eram brancos, não pela idade, mas pela brancura do albinismo, e seus olhos eram vermelho-escuros como gemas de granada. Os punhos estavam cerrados, os olhos bem abertos e sua expressão era de raiva e consternação.

– Cubra o rosto dele! – disse um homem. – Pelo amor de Deus, cubra esse rosto! – E três criancinhas, tentando passar através da multidão, foram repentinamente desviadas e mandadas de volta.

Alguém trouxe um lençol do "Jolly Cricketers" e, depois de cobri-lo, eles o carregaram para dentro. E foi lá que – em uma cama surrada em um quarto pobre e mal iluminado, cercado por uma multidão de pessoas ignorantes e agitadas, quebrado e ferido, traído e sem piedade –, Griffin, o primeiro de todos os homens a se tornar invisível; Griffin, o físico mais talentoso que o mundo já vira, terminou em desastre infinito sua estranha e terrível carreira.